Felipe Martínez Pinzón

Una cultura de invernadero:
trópico y civilización en Colombia
(1808-1928)

Felipe Martínez Pinzón

Una cultura de invernadero: trópico y civilización en Colombia (1808-1928)

Iberoamericana - Vervuert - 2016

© Iberoamericana, 2016
Amor de Dios, 1 – E-28014 Madrid
Tel.: +34 91 429 35 22
Fax: +34 91 429 53 97
info@iberoamericanalibros.com
www.ibero-americana.net

© Vervuert, 2016
Elisabethenstr. 3-9 - D-60594 Frankfurt am Main
Tel.: +49 69 597 46 17
Fax: +49 69 597 87 43
info@iberoamericanalibros.com
www.iberoamericana-vervuert.es

ISBN 978-84-8489-876-4 (Iberoamericana)
ISBN 978-3-95487-416-3 (Vervuert)

Cubierta: © de la cubierta: Marcela López Parada. Diseño en base de un dibujo de Erica Guilance-Nachez
© Erica Guilance-Nachez

Depósito legal: M-10195-2016

The paper on which this book is printed meets the requirements of ISO 9706

Este libro está impreso íntegramente en papel ecológico sin cloro

Impreso en España

*Al hermoso recuerdo de mi papá,
Nicolás Martínez Emiliani
(Cartagena, 1936-2012),
elegancia en la sencillez.*

ÍNDICE

La cultura colombiana es y será siempre
una frágil planta de invernadero.
Laureano Gómez (1928)

Nosotros hacemos la casa y la casa nos hace a nosotros.
Proverbio griego

Agradecimientos

Son muchas las personas que durante estos años han participado directa e indirectamente de la escritura de este libro. La lectora más fina y más constante, la madrina de este texto, ha sido Mary Louise Pratt. A ella todos mis agradecimientos. A Erna Von der Walde, Gabriel Giorgi y Jo Labanyi les agradezco las conversaciones en torno a estas páginas. A Ana Dopico por hacerme ver que un proyecto que ocupaba unas pocas cuartillas podía convertirse en un libro. A Carolina Alzate su amistad y mentoría, además de haberme dado la posibilidad de enseñar dos cursos intersemestrales en la Universidad de los Andes, mi alma máter, en los años 2009 y 2010, producto de los cuales salieron varias de las ideas iniciales de estos capítulos. A Mónica Castillo, entonces estudiante de literatura, la paciencia de entomóloga en rescatar textos y bibliografías de la Biblioteca Luis Ángel Arango y de la Biblioteca Nacional de Colombia. A Martín Alonso Pinzón, desde Chile, las conversaciones en torno a Rafael Núñez. A Javier Uriarte las charlas sobre temas de nuestro siglo XIX, que acortaron las distancias, únicamente aparentes, entre un Sarmiento y un Samper, entre la civilización y la guerra. A Benjamin Johnson haberme llevado, sin previo aviso, a la biblioteca de José Eustasio Rivera, al cuidado de la Universidad Javeriana, una tarde maravillosa en que Carmen Millán de Benavides nos mostró, uno a uno, los libros de la biblioteca del poeta. Y, cómo no, a mis amigos y colegas de New York University, Universidad de los Andes, College de Staten Island (CUNY) y Brown University sin cuya amistad estas páginas no habrían llegado nunca a buen puerto. Muchas de las ideas que aparecen aquí fueron producto del ocio productivo de nuestras conversaciones.

También quiero agradecer el apoyo constante de mi familia, en especial de mi madre, Rosario Pinzón, mi primera lectora. Ha sido tradición familiar pensar, en contra de ideas prevalentes, que la literatura y el arte a la par que embellecen el mundo, tienen mucho que decir sobre su porvenir.

Finalmente, quiero agradecer el apoyo institucional de New York University y de Brown University, al igual que las becas Andrew Mellon y PSC-CUNY por haber hecho posible el retiro y el solaz de la investigación y la escritura de este libro.

A los editores y lectores anónimos de las revistas en donde salieron versiones previas de estos capítulos les agradezco sus oportunos comentarios, así como a Aurore Baltasar por su atenta lectura editorial de este manuscrito.

Clima y cultura en Colombia

En este libro quiero abordar las maneras a través de las cuales el discurso civilizador representó el espacio tropical colombiano durante el siglo xix y comienzos del xx. Para empezar es necesario detenernos en la particularidad geográfica de los Andes tropicales en el norte de Suramérica. La verticalidad de la montaña hace que la temperatura vaya disminuyendo paulatinamente a medida que se sube los Andes, pasando de los 25-30 grados centígrados aproximadamente en Cartagena, por ejemplo, a los 10-15 centígrados en Bogotá, hasta llegar a las heladas alturas de los páramos que bajan de los cero grados. El viaje vertical por los Andes es un viaje climático que, al atravesar distintos pisos térmicos, despliega vegetaciones diferentes, dándole a las distintas alturas una apariencia particular: los saúcos, los pinos y los eucaliptos abundan en las alturas; las palmas, los plátanos, los árboles de caucho son más característicos de las tierras bajas[1].

Si para las élites argentinas el problema de su territorio era la extensión, para las colombianas lo fue el calor. Sin embargo, por inmodificable, este factor permaneció problemáticamente innombrado.

---

1. Esto no quiere decir, de ninguna manera, que la vegetación esté tajantemente compartimentada y que no sea historizable. Por ejemplo, los eucaliptos, que es frecuente verlos hoy en la sábana de Bogotá, en Boyacá y en otros lugares de altura, fueron traídos en semilla por el presidente radical Manuel Murillo Toro (1816-1880) tras su regreso de Europa en 1868 (Patiño Fomeque, "Plantas cultivadas"); mientras el cafeto, como es sabido, no es una planta natural de América, sino que fue traída del África subtropical por los colonos españoles durante la conquista. Este texto no toca directamente ese tema —más propio de un texto sobre historia ambiental— pero es una obsesión que lo nutre: las fantasías de las élites por cambiar el paisaje tropical, sobre todo de altura, para hacerlo más parecido a las regiones temperadas del globo, y las correlativas pesadillas por no poder hacer lo mismo en las tierras bajas.

Quiero pensar el clima como la clave para entender la naturalización de la violencia habilitada por los pisos térmicos del trópico andino. Los cambios constantes de temperatura en el trópico andino fueron politizados aun antes de la constitución de la República. La historia de la politización del clima en Colombia hunde sus raíces en la temprana colonia. Las prácticas colonizadoras de los siglos XVI, XVII y XVIII, administradas desde la metrópoli española, aconsejaban a los colonos europeos en el trópico asentarse en las alturas andinas de clima menos cálido, previa inspección de las condiciones de salubridad de los pobladores nativos para evitar posibles enfermedades: cuántos niños había, cuál era el estado de salud de los adultos, cuántos años tenía el hombre más viejo, qué animales podían usarse y qué mano de obra indígena se encontraba disponible. En las "ordenanzas de poblaciones de don Felipe II" (1543) leemos:

> Ordenamos, que habiéndose resuelto de poblar alguna provincia o comarca [...] tengan los pobladores consideración y advertencia a que el terreno sea saludable, reconociendo si se conservan en él hombres de mucha edad, y mozos de buena complexión [...] si los animales y ganados son sanos, y de competente tamaño, y los frutos y mantenimiento buenos, y abundantes, y de tierras a propósito para sembrar y coger; si se crían cosas ponzoñosas y nocivas: el cielo de buen y feliz constelación, claro y benigno, el aire puro y suave, sin impedimento ni alteraciones: el temple sin exceso de calor o frío (y habiendo de declinar a una u otra calidad, escojan el frío) [...] (*Recopilación* 14).

Este test de habitabilidad, por llamarlo de alguna forma, empieza a darnos las claves para leer la historia del trópico andino como la historia de la enfermedad tropical, pero también para leer en él, como lo hicieron los primeros colonos, la promesa de la abundancia material. Las dos caras de la misma moneda —el infierno verde y El Dorado— son las metáforas conflictivas (Slater) desde las cuales occidente ha representado el trópico. En crónicas coloniales tempranas los españoles ya separaban el territorio tropical neogranadino entre tierras frías y tierras calientes. Por ejemplo, el encomendero de Tunja (en las alturas andinas) Juan Sanz Hurtado, de vuelta en España en 1603, explicaba la relación entre las tierras frías y las calientes en términos que segmentaban lugares de extracción de riquezas y espacios de cultura (de cultivo) donde se disfrutaba de ellas: "[en la tierra caliente] se dan y producen

los ricos metales de oro, plata, y esmeraldas. Y en la fría, que es donde vuestra Real Audiencia tiene su asiento, se cultivan los manteni-
mientos, legumbres y ganados con mucha fertilidad. Por manera que
la una es expensa de comida, y sustento para la otra, que es la fría, y la
caliente madre de oro y monedas hace a esta otra rica" (en Córdoba
Ochoa 49). Esta distribución climática de la explotación, producción,
consumo y gozo de bienes, tendrá un correlato político que intentará
naturalizar estas mismas divisiones territoriales. Como veremos, no
será hasta la crisis del imperio español en América a comienzos del
siglo XIX, y por razones particulares de esa coyuntura política, que
un relato depurado de esta fragmentación territorial, habilitado por
las diferencias climáticas, será desplegado por las élites criollas para
ganarse el lugar que habrían de abandonar los peninsulares. Las élites
criollas andinas localizaron la civilización en un lugar sedentario a una
cierta altura de "clima benéfico" en asentamientos supuestamente habitados por blancos o mestizos hispanizados. Fantaseados como una
continuación de Europa en el trópico, las élites opusieron a estos espacios privilegiados una naturaleza amenazante e invasora, de clima más
caliente, palpitando abajo y alrededor de los Andes, plagada de gentes
tenidas por *verdaderamente* tropicales, más oscuras y —por ende—
más indisciplinadas, arruinadas por el calor y desprovistas de historia,
desperdigadas en territorios a un tiempo habitados y deshabitados dependiendo de las fantasías comerciales del momento. Estos lugares y
gentes fueron representados de formas cambiantes que obedecieron a
precisas coyunturas política y económicas, frecuentemente asociadas
con la expansión de la frontera agrícola.

A lo largo del siglo XIX las élites se dieron cuenta de que el mercado
europeo les pedía apropiarse de las materias primas exóticas que no se
daban en las tierras frías, tales como la quina, el tabaco, el caucho, el
banano o el café (Langebaek Rueda, "Pasado indígena" 59). Esto permitió que el avance del proyecto civilizatorio fuera representado como
un movimiento descendente —de los climas fríos a los climas templa-
dos y cálidos— llevado de la mano por hombres blancos que debían
disciplinar otras razas viviendo en otros climas más abajo de la cordillera (Múnera 41). La apropiación del trópico en Colombia surge como
un mandato de la economía mundial que se corresponde con un relato
representacional. Los mecanismos de representación que pusieron en
juego las élites andinas para narrar la captura del espacio nacional en las

tierras bajas crearon fronteras imaginadas (Múnera) para su posterior captura en pro de la producción de plusvalía.

La captura del espacio del trópico andino para su reconversión en productos exportables movilizó una particular forma de leer el territorio nacional, un dispositivo espacial que lo segmentó en *espacios de cultura* y *lugares de tránsito*. Los primeros son las tierras frías y aquellos territorios que se han integrado al proyecto civilizatorio y que, por tanto, han entrado al circuito del capital. Este movimiento de incorporación al mercado se ve reflejado en un sistema de representaciones de acuerdo con el cual estos espacios e individuos son decodificados como más parecidos a los de las tierras frías y sus gentes más disciplinadas y, por ello, más blancas, en tanto van dejando atrás la marca atávica de lo salvaje: razas más oscuras, climas más cálidos. Los lugares de tránsito, por su parte, son aquellas espacialidades que no se pliegan al movimiento de la frontera agrícola, se niegan a ser incorporadas al circuito del capital y por tanto no pueden ser integradas al proyecto civilizatorio. Esta imposibilidad de incorporación se traduce simbólicamente: estos lugares se localizan más abajo en la espacialidad vertical andina (a pesar de no ser cierto geográficamente), se representan como más calientes, su vegetación más indomable, y sus habitantes más indisciplinados y, por tanto, representados como más oscuros. De esta manera el clima fue construido culturalmente como una potencia productora de cuerpos racializados, disciplinante o indisciplinante dependiendo de la disponibilidad de mano de obra y la aquiescencia, violenta o pacífica, de sus moradores a volverse peones.

El choque entre civilización y trópico en Colombia es un tema que ha sido desarrollado desde áreas como la geografía, la historia, la historia de la ciencia y la antropología. Para la academia este es un tema relativamente reciente. Las explicaciones a la larga historia de la violencia en Colombia han pasado, en su veta tradicional, por las lecturas partidistas de las guerras civiles[2] —"los odios heredados" entre los partidos Liberal y Conservador como subculturas durante el siglo xix y buena parte del xx— o más recientemente, por lecturas cuyas líneas de análisis privilegian los conflictos de clase[3] y de región[4]. Sin

2. Ver Helen Delpar y James D. Henderson.
3. Ver Gonzalo Sánchez y Donny Meertens, y también Fernando Guillén Martínez.
4. Ver Marco Palacios, Frank Safford y Eduardo Posada Carbó.

embargo, las conflictivas relaciones entre el discurso civilizatorio —su carácter disciplinante, homogeneizante y su imaginación espacial unificadora— y las especificidades históricas del trópico colombiano —la diversidad étnica, la distribución poblacional, el miedo que produjo la enfermedad tropical y las relaciones coloniales de raza— no han sido lo suficientemente contempladas como una ostensible contribución a una historización de la violencia en el país.

En este libro quiero pensar el trópico desde su especificidad ambiental, para ayudarnos a romper el torniquete del discurso civilizador sobre Colombia. El discurso que administra el trópico colombiano actualmente concibe la civilización en el trópico como un fenómeno postselvático, es decir, ha concebido la selva como un espacio antinacional que se interpone entre Colombia y la civilización. Esta idea ha llevado, no solo a Colombia, es evidente, sino al mundo entero, a una crisis ambiental sin precedentes. Esta crisis está atada al modelo de desarrollo planetario, pero también a la concentración de la tierra disparada por la larga guerra colombiana actual (1964-). Los masivos proyectos agroindustriales aupados por la protección de bandas armadas ilegales han permitido la deforestación masiva de territorios para la ganadería extensiva o para el cultivo de palma africana. Así, las lluvias no cesan sobre los Andes y van desbordando los ríos, derrumbando las montañas erosionadas, sepultando las casas y desplazando a la gente de sus lugares de habitación. Los ríos no están haciendo más que recobrar la memoria de sus cauces, inundan los humedales desecados por empresas cultivadoras de palma o de caña para la exportación de etanol. Las aguas corren, imparables, sobre los bosques talados, convertidos en dehesas y potreros para la ganadería extensiva, causando derrumbes, sin que se interpongan en su transcurso las raíces de los árboles que antes ataban la tierra al suelo. Recordándonos la fragilidad del ecosistema del trópico andino, en su libro sobre la historia reciente de la Amazonía colombiana —*El río*— el etnobotánico Wade Davis dice: "si no fuera por los bosques húmedos, los Andes se habrían caído al Amazonas desde hace muchísimo tiempo" (161). El actual modelo de desarrollo hará pronto del mundo, y de los Andes en particular, un paisaje de la devastación[5], un verdadero lugar inhabitable.

---

5. Arturo Escobar llama a la Colombia de hoy "una Colombia de la devastación": "Las décadas del 'desarrollo' solo han exacerbado la desigualdad social, la concentración

Asimismo, las consecuencias de concebir el trópico como el pasado de lo temperado[6] y a este como el *telos* de aquel, lleva consigo una narrativa ideológica que no ha sido todavía desenmascarada en toda su violencia y en toda su irracionalidad. Se trata de un pensamiento antitropical que permea los textos más tempranos y también los más recientes de las élites civilizatorias colombianas. El libreto de este discurso dice que después de talar la selva tropical para reconvertirla en dehesas, el clima cambiará y será posible la agricultura planificada. Luego de ambos cambios, de clima y de disciplina laboral, esta narrativa espera que cambien racialmente (!) los hombres. En tal narrativa ideológica se cifra una operación de violencia sobre el espacio que adopta la ecuación civilizatoria de acuerdo con la cual la civilización es la administración de la carencia —algo propio del clima de estaciones (Castro-Gómez, *La hybris* 34)— a la especificidad del trópico y su estable oferta de luz a lo largo del año. Al trasplantar esta ecuación a la llamada "zona tórrida", se decodifica la abundancia del trópico —el eterno platanar del que hablaran los intelectuales colombianos del siglo XIX— como una aberración que no deja prosperar la civilización porque estimula la indisciplina en los trabajadores, los conduce a la holgazanería y a la lujuria.

Frente a estas operaciones deshistorizadoras del trópico, en estas páginas trazo un arco del pensamiento civilizatorio sobre el trópico en Colombia, muestro sus mutaciones y refacciones, y las respuestas que ha suscitado desde las propias élites. Así, este texto propone un viaje que empieza en los debates de naturalistas europeos de finales del XVIII *trasplantados* a América sobre la (in)habitabilidad del trópico y termina con la creación de lugares verdaderamente inhabitables en las selvas caucheras del sureste y suroeste colombianos a comienzos del siglo XX. En efecto, desde las fantasías de la deforestación como relatos de la separación entre naturaleza y cultura en los textos del ilustrado Francisco José de Caldas (1768-1816) hasta la voz de los árboles como escenificación del inextricable nexo entre ambas en *La vorágine* (1924) de José Eustasio Rivera (1888-1928), mi contribución a la discusión

de la tierra, la injusticia, la violencia, la dependencia y la destrucción ambiental. Las llamadas locomotoras del desarrollo económico y el Tratado de Libre Comercio solo lograrán profundizar estas tendencias" ("10 ideas para reconstruir a Colombia").

6. A falta de una palabra más precisa, usaremos esta para referirnos al régimen climático de los países de estaciones.

acerca de la construcción cultural del trópico colombiano pasa por un análisis de la representación como un vehículo privilegiado para observar de qué manera fue instrumentalizada la particularidad geográfica del trópico colombiano para justificar o naturalizar diferentes proyectos políticos. Pienso que las especificidades de lo literario, su exhibición del extrañamiento (esa pregunta por el *por qué* contarlo de esta forma y no de esta otra), desdice constantemente la existencia de algo "natural" al representar la naturaleza como algo que está mediatizado siempre por la cultura, por el lugar desde el cual escribimos, por las motivaciones que escogemos para hacerlo y por la manera en que organizamos nuestros materiales a la hora de enmarcar lo que vemos afuera, en la supuesta intemperie.

Durante la escritura de este libro me topé una y otra vez, aunque representada de distintas maneras, con un particular forma de describir el trópico andino por parte de las élites. Tanto las fantasías de deforestación como las fantasías agroexportadoras estaban habilitadas por una cierta suspensión del clima sobre la corporalidad del que veía los lugares dónde se llevarían a cabo sus deseos civilizatorios. La invisibilidad del vidrio del invernáculo o la ventana del barco de vapor o del avión, entre otras, se constituyó en una engañosa separación que permitía ver sin ser tocado, suspendiendo el clima sobre el cual la mirada se desplegaba, habilitando la separación entre el afuera y el adentro, y abriendo, por tanto, la peligrosa posibilidad de separar la cultura de la naturaleza. Ver el afuera desde un adentro protegido, inmunizado, crea un lugar artificial —un invernadero— desde donde vivir el espacio sin sentirlo, abriendo paso a su deshistorización. Esto permite desplegar toda clase de fantasías comerciales que se traducen en proyectos de disolución de comunidad, proyectos que pueden terminar — y han terminado— en genocidios como el que ocurrió en el Putumayo a comienzos del siglo xx como fruto del *boom* cauchero.

A ese ojo sin cuerpo que retraza las oposiciones entre naturaleza y cultura lo quiero llamar la *mirada invernacular*. Olvidar la conexión biológica ojo-cuerpo es la desarticulación, a nivel micro, de otra relación de complementariedad que operará a nivel macro: la inextricable unión entre naturaleza y cultura. Inspirada en las extasiadas visitas de José María Samper a los invernáculos del *Crystal Palace* de Londres en 1858, donde le parecía que la civilización sí era posible en el trópico porque no había "negros y mosquitos", la mirada invernacular se me aparece atada, desde sus orígenes, a consideraciones no solo violentas, sino, también, bélicas. Las tecnologías de bombardeo a distancia, o la operatividad del llamado avión *dron* dan cuenta de esto elocuentemente. El dron es un avión no tripulado que practica operaciones de bombardeo en Afganistán o Colombia, dirigido desde pantallas por operadores militares que pueden encontrarse a miles de kilómetros de distancia, en Wyoming o Bogotá. Radicalizada en este ejemplo, la mirada invernacular, sin embargo, es la misma en tanto suspende la experiencia histórica compartida con las comunidades en el suelo, borrando cualquier medio de contacto entre víctimas y victimarios, inclusive el clima, que pueda hacerlos parte de lo común, de lo humano.

Hacernos consciente de las tácticas que separan la naturaleza de la cultura y que abren, por ende, el campo para realizar actos de violencia sobre el espacio y sus habitantes es el propósito principal de este libro. Espero con él contribuir a "tropicalizar el trópico" colombiano, es decir, entenderlo desde su particularidad ambiental. Pienso que entender el *continuum* naturaleza-cultura, concebir nuestro territorio como un jardín y no como una selva a podar, es un paso fundamental para hacer la paz entre los colombianos. Una paz imposible si no se entienden —y desactivan— las maneras cómo se ha construido el territorio nacional.

Capítulo I

Fantasías de la deforestación en la obra de Francisco José de Caldas*

Santafé, mayo de 1808. El intelectual neogranadino Francisco José de Caldas publica el ensayo "Del influjo del clima sobre los seres organizados" en el *Semanario del Nuevo Reino de Granada*[1]. En él propone una detallada lectura de la geografía de los Andes tropicales, de acuerdo con la cual los diferentes climas producen distintos cuerpos organizándolos en diferentes alturas. Crea, así, una narrativa para la geografía de la Nueva Granada en el año crucial de la crisis definitiva del imperio español con la abdicación de Carlos IV y el nombramiento por parte de Napoleón de su hermano José en el trono que debía ocupar Fernando VII (McFarlane 325). Son relevantes el lugar y la fecha a la hora de leer este texto. Ambos lo localizan en una coyuntura donde las intrigas revolucionarias abren espacios para que los criollos imaginen a un nivel todavía protorrepublicano[2] el espacio que ocuparán una vez los peninsulares sean expulsados (McFarlane 292). Ese

---

* Una versión anterior y distinta de este capítulo salió a la luz como ensayo bajo el título "Una geografía para la guerra: narrativas del cerco en Francisco José de Caldas" en la *Revista de Estudios Sociales* (Universidad de los Andes) 38 (enero 2010): 108-119.

1. Editado por el propio Caldas y el abogado Joaquín Camacho, el *Semanario del Nuevo Reino de Granada* (1808-1811) fue una publicación alrededor de la cual se aglutinó una comunidad de lectores y colaboradores —que llegó a contar con 80 suscriptores— compuesta por científicos, escritores y comerciantes neogranadinos constituyendo lo que Renán Silva ha llamado "una comunidad de interpretación con una misma visión cultural" (645).

2. Jorge Cañizares Esguerra (1997) ha pensado ya en las formas discursivas que los naturalistas criollos de la tardía colonia —entre ellos Caldas— imaginaron cierta especificidad de cada uno de los territorios del imperio español, diferenciando a la Nueva España del Perú, por ejemplo.

espacio es el *non plus ultra* de las fantasías culturales, aquel donde el criollo puede volver a ser español a cabalidad, despojándose de "la mancha de la tierra"[3] (Castro-Gómez, *La hybris del punto cero* 227) que los peninsulares tanto arguyeron para discriminar a los hijos de europeos nacidos en América. Esta será una vuelta de tuerca que preparará el espacio poscolonial adentro de la república por nacer a partir de las revoluciones independentistas: la metrópoli será ahora la andina y fría Santafé, y sus colonias serán los periféricos "países ardientes", tierras de baja altura antes doblemente periféricas (Serje, *El revés* 25). "Del influjo" opera sobre ese horizonte de expectativa: uno donde los criollos, borrando la historia de la conquista y colonización, se convertirán en españoles de nuevo. Esta operación ideológica los empujará hacia un pensamiento cada vez más racial[4] donde se igualarán con los europeos, biologizarán la cultura y separarán cada vez más de las castas (estamentos socioraciales marcados por la mezcla), vastamente mayoritarias, que pudieran disputarles el poder. Una táctica de reorganización política que pasa por la naturalización, a través de un discurso científico, de un sistema de dominación donde los cuerpos se corresponden, en jerarquía, con diferentes climas dictados por la altura de la geografía vertical de los Andes tropicales.

En "Del influjo" Caldas sostiene que la altura sobre los Andes tropicales determina el lugar de la civilización, al cual se oponen las tierras cálidas de baja altura, habitadas por salvajes[5]. Caldas, así, adelanta

3. Respecto a "mancha de la tierra", el impedimento social y burocrático de los hijos de españoles en América, Santiago Castro-Gómez sostiene que "se es nadie cuando se posee la 'mancha de la tierra' [...] o cuando los conocimiento obtenidos no son 'legítimos', es decir, cuando no han sido aprendidos en las aulas universitarias o permanecen desconocido para los europeos" (*La hybris del punto cero* 227).

4. Aunque históricamente es temprano para leer en Caldas el despliegue de un pensamiento racial, coincido en leer su pensamiento como la apertura de la "ruta de cientifización de las diferencias jerárquicas humanas, en el que se enmarcaría el pensamiento racial" (Arias Vanegas, "Seres, cuerpos" 26). En efecto, Arias Vanegas localiza a Caldas en la bisagra entre la concepción corpórea de la medicina hipocrática —los humores y sus relación con el *neuma* (aire) en una continuidad de flujos y reflujos donde los hombres son partes de la naturaleza— y la separación ilustrada entre el hombre y su entorno: la desacralización de la naturaleza que conlleva el surgimiento de la raza como categoría interpretativa que dará paso, luego, a la biologización de la cultura (Hannaford 6).

5. En el caso de Caldas, vale la distinción que hace Foucault entre el salvaje y el bárbaro. Mientras el primero es el hombre de la naturaleza, sin historia y pleno de libertad (*Society Must Be Defended* 196); el segundo "no puede existir sin la civilización que lo quiere destruir y capturar. El bárbaro es siempre el hombre que acecha las fronteras del

la sustitución del tutelaje español con la construcción ideológica[6] de una Europa andina o de un territorio americano que pertenece a la historia de Europa (Nieto Olarte, *Orden natural* 11). El deseo civilizador de los criollos (Rojas 36) por transportar Europa al trópico creará una ficción ideológica que pervive hasta hoy: Santafé (hoy Bogotá) y los Andes en general (y a cierta altura) no hacen parte del trópico. Un mapa ideológico[7] con vastas consecuencias para la imaginación geográfica de la nación porque con ella se logra "homologar a los habitantes de la cordillera con los de los países europeos y darle una base científica a la superioridad de las castas andinas, no solo de los criollos, sino de los mestizos que habitan en la cordillera" (Serje, *El revés* 91). Para Caldas y los demás criollos que componían el círculo de escritores y lectores alrededor de *El Semanario de la Nueva Granada:* "La geografía [será] un medio que les permite proclamarse 'herederos' del nuevo Reino" (Nieto Olarte, *Orden natural* 108). Más que la geografía es la narrativa espacial que esta ciencia les permite legitimar, lo que hace ver la construcción ideológica de una Europa andina como una realidad incontrovertible. Por eso en las tantas veces citada máxima de Caldas "La geografía es la base fundamental para cualquier especulación política" (Caldas, *Obras* 183) las variables se hayan estratégicamente invertidas. No es la geografía la base de toda especulación política, sino la política la base de toda especulación geográfica. A partir de ella se construye una narrativa espacial para justificar el proyecto criollo[8] como proyecto civilizatorio.

Estado, el hombre que choca con las murallas de la ciudad" ["cannot exist without the civilization he is trying to destroy and appropriate. The barbarian is always the man who stalks the frontiers of the State, the man who stumbles into the city walls"] (*Society Must Be Defended* 195). Todas las traducciones son mías.

6. Entiendo por ideología, llanamente, "la tergiversación de la dominación política y económica en formas tales que legitiman la sujeción" ["the misrepresentation of political and economic domination in ways that legitimate subjection"] (Abrams 122).

7. La formulación "mapa ideológico" la tomo de Montserrat Ordóñez: "El norte y el sur se han convertido en la cultura occidental en un mapa ideológico. El norte corresponde a la civilización, el cerebro, el cielo, la conciencia, la humanidad, y el sur a la barbarie, los instintos, el infierno, el inconsciente y la animalidad" (50). La variación sobre este tema la hace Caldas al igualar norte con arriba y sur con abajo.

8. El *proyecto criollo* es el heredero del proyecto colonial europeo en tierras americanas. Pensar que todo descendiente de criollos o de europeos pertenece o representa al proyecto criollo —y que mestizos, mulatos, indígenas o afro-colombianos no pueden hacerlo— es caer en un determinismo racial que solamente fortifica ideologemas que

"Del influjo" se publicó en nueve números consecutivos del santafereño *Semanario del Nuevo Reino de Granada* como respuesta a la refutación que en febrero de 1808 hiciera Diego Martín Tanco a un ensayo previo de Caldas titulado "Estado de la geografía del Virreinato de Santa Fé" (1807). Este texto, tenido por el "auténtico 'manifiesto' de la geografía nacional de la Nueva Granada" (Appel 80), fue criticado en su momento por Tanco, quien entendía que la visión espacial del territorio allí contenida demeritaba la acción individual y la educación de las personas: "no es el clima el que forma la moral de los hombres, sino la opinión y la educación" (Tanco 67). La visión de Caldas encontró respuesta, no solo en Tanco, sino en otros suscriptores del *Semanario*; significativamente en el comerciante ilustrado José Ignacio de Pombo (1761-1815), natural de Popayán como Caldas, pero afincado en Cartagena, quien, para demostrar que en el clima cálido de la Costa Caribe podía prosperar la civilización, argumentó que el cultivo de trigo era factible en las tierras tropicales de baja altura (Langebaek Rueda, "Pasado indígena" 48). Con ello, sin criticar los supuestos de Caldas, el disenso de Pombo mantenía la discusión girando en torno a la pregunta por el qué paisajes tropicales podían pensarse visual y ambientalmente como espacios europeos.

Como vemos, la denigración del trópico de baja altura por parte de Caldas fue producto de una lucha por el poder interpretativo (Franco 112) en el interior del *Semanario* como privilegiada comunidad de interpretación en la Nueva Granada colonial. A pesar de estas notas semidisonantes dentro del debate, los criollos todos, sin importar su lugar de asentamiento, parecían concordar en que los indígenas, mestizos, mulatos, mujeres o los negros no podían ser, como ellos, agentes de la misión civilizatoria (Múnera 77). En ese sentido, en el *Semanario* se agudizó una separación entre géneros —en este caso la memoria científica y lo masculino—, con un ineludible correlato racial que dejó por fuera otras visiones[9] sobre el territorio, que le eran contemporáneas y que desplegaban formas diferentes de relacionarse con el trópico andino.

---

naturalizan construcciones culturales. Esta formulación se la debo a Erna Von Der Walde Uribe y a Margarita Serje.

9. Aparte de estas consideraciones, la preeminencia de las tesis caldasianas dentro del círculo de lectores y suscriptores del *Semanario* se debieron también a que el editor del *Semanario* era el propio Caldas, de manera tal que otras interpelaciones como las

Naturaleza muerta

En "Del influjo" Caldas inventa la altura andina en un territorio tropical andino como el espacio privilegiado desde donde hacer de la civilización un proyecto sedentario frente al resto de la tierras de la Nueva Granada. Así imagina la posibilidad de que los Andes no existieran:

> Si las montañas son necesarias para la existencia del hombre sobre la tierra, en ninguna parte son más necesarias que en nuestra Patria. Suprimamos por un momento nuestra soberbia cordillera: una llanura melancólica y eterna, un calor sofocante en todos los puntos, unas aguas estancadas y corrompidas, una vegetación moribunda, la multiplicación de los reptiles, de los insectos, la muerte y la extinción de muchas especies, serían la consecuencia (*Obras* 111).

La visión por medio de la cual Caldas imagina una llanura eterna y moribunda debido a que ha sido desconectada de la cordillera, devela un deseo respecto al mapa nacional en construcción: hacer de los Andes el accidente físico que no es tal sino consustancial en la concepción espacial del territorio. En la imaginación espacial de Caldas es la "soberbia cordillera" la que le da movimiento al resto del espacio que la circunda, dotándola de una perspectiva: un arriba que fluye hacia un abajo. Gracias a ella existen los vientos, las fuentes y los ríos. Parecería que la pendiente de la cordillera es lo que crea movimiento y lo que posibilita por tanto salir fuera de la llanura. El movimiento que proviene de los Andes es un envión que integra las llanuras no solo a la vida sino a la historia. Este será el itinerario que replicarán los viajes de Caldas. Desde arriba hacia abajo, en un viaje vertical, que se cumple

de Tanco o de Pombo, que seguramente las habría, podían ser fácilmente descartadas por quien era a la vez el editor general del *Semanario* y el autor del ensayo impugnado. Todas estas posibles especulaciones nos confirman aquello que sostiene Nancy Leys Stepan sobre el triunfo y el silenciamiento de ciertas tesis frente a otras dentro de comunidades académicas: "La historia de la ciencia no es linear, sino que está llena de líneas divergentes y convergentes, luchas por la interpretación y el significado; también muestra cómo el que determinadas ciencias ganen cierta importancia en un contexto determinado se debe a un cuestión de valores políticos y poder institucional" ["the history of science is not linear but full of diverging and converging lines, and struggles over interpretation and meaning; it also shows that the story of how different sciences are given saliency in a particular setting is a matter of political values as well as institutional power"] (*The hour of eugenics* 67).

con la vuelta a la altura, Caldas marca tras de sí el curso que debe seguir la historia. Sin poder contemplar las llanuras por mucho tiempo, el ojo de Caldas, que las ve sin embargo desde afuera, solamente puede huir. Esas llanuras son la imposibilidad de la historia y, por ello, son la muerte. Caldas dibuja una naturaleza muerta literalmente como un *lugar* que adopta la forma de su peor pesadilla: un *espacio* sin historia del cual nunca se puede salir.

A partir de esta pesadilla de Caldas quiero distinguir *espacios* de *lugares*. Entiendo por espacio, siguiendo a Michel de Certeau, lugares practicados (116). Mientras "el espacio está compuesto de intersecciones de elementos móviles"[10], un lugar "es una instantánea configuración de posiciones. Implica una indicación de estabilidad"[11] (De Certeau 117). En ese sentido, los textos geográficos de Caldas son máquinas que convierten los espacios de "los países ardientes" (Caldas, *Obras* 98) en lugares sin tiempo y, por ende, sin historia. Para Caldas, si suprimimos las montañas "por un momento" se desquicia el espacio granadino sacándolo del tiempo, convirtiéndolo en lugar: desaparecen sus habitantes, los sembradíos y la riqueza, y aparecen reptiles, aguas estancadas e insectos mortíferos.

Como si no lo resistiera, el ojo de Caldas parpadea y despierta de la pesadilla; recuerda que siempre existirán los Andes, infundiendo de vida a ese paisaje moribundo, lo cual posibilita a su vez escaparse de él, pasar a través suyo de regreso a la historia. De esta manera, Caldas inventa el movimiento como aquello que solamente los Andes pueden proveer: "El verdor, la frescura, los torrentes, las cataratas, los prados deliciosos, los frutos, las mieses, las nieves, el hombre mismo desaparecerían enteramente" (Caldas, *Obras* 112); y a línea seguida, pero sin señalarlo con un conector que nos permita entender que "esos prados deliciosos" existen *porque* los Andes existen, Caldas concluye: "*Nuestros Andes* son el origen de bienes incalculables, *nuestros Andes* nos proporcionan todas las delicias, *nuestros Andes* nos templan, nos varían y presentan el espectáculo majestuoso de reunir las extremidades del globo, de mantener en su frente los hielos boreales y en la base las llamas del ecuador" (*Obras* 112; cursivas mías). En ese "nuestros

---

10. "[s]pace is composed of intersections of mobile elements".
11. "is an instantaneous configuration of positions. It implies an indication of stability".

Andes", Caldas construye un nosotros preexistente que es la manera de hacerlo nacer. Arma su texto como una plataforma donde un cierto sujeto puede reconocerse en la construcción ideológica del espacio así narrado. Los Andes como espacio de la historia y la llanura o la selva tropical —la tierra caliente— como su revés (Serje), un lugar inhabitable, son los materiales básicos desde los cuales Caldas construye un mapa ideológico con el fin de legitimar un proyecto civilizatorio: la Cultura, única e incontestable, en mayúsculas, solamente puede darse a partir de cierta altura sobre el nivel del mar.

El geógrafo inglés David Harvey llama "territorializing behavior" (comportamiento territorializador) a la construcción social tenida por natural, basada en la observación de fronteras ecológicas entre animales o plantas, mediante la cual las sociedades trazan espacios absolutos, seguros y sin dinámicas relacionales con otros espacios (*Cosmopolitanism* 172). Al poner en práctica un comportamiento similar, Caldas construye las alturas andinas como espacios absolutos que no se relacionan histórica ni económicamente con las tierras bajas, una fragmentación que ignora las líneas históricas de flujo, migración y abastecimiento entre los pisos térmicos andinos, una antigua forma de organización de las comunidades indígenas precolombinas.

El proceso de legitimar esta división ahistórica entre territorios —el espacio de la civilización y el lugar del salvajismo— es de constante y angustiosa revalidación en Caldas, porque ambos territorios juntos constituyen la "Patria" que Caldas entiende como propia[12] (Nieto Olarte, *Orden natural* 257). Para legitimar esta anomalía, Caldas despliega un particular comportamiento territorializador desde el cual inventa un mapa ideológico donde son naturales la exclusión de sujetos no hispanos o hispanizables viviendo en "países ardientes".

Para poder concebir un mapa ideológico en constante contradicción consigo mismo, Caldas construye una narrativa para la Nueva Granada a través de la cual son los blancos (el término es suyo) los únicos que pueden *transitar* por la intrincada y segmentada geografía que él crea, bajando desde los Andes hacia los "países ardientes" para volver a la altura de la cordillera, en un movimiento que inventa a

---

12. Cristina Rojas, en *Civilización y violencia: la búsqueda de la identidad en la Colombia del siglo XIX* (2001) sostiene que "con la Independencia desapareció la diferenciación entre lo externo y lo interno. 'Civilizados' y 'bárbaros' se encontraron dentro del mismo espacio territorial" (86).

quien transita/escribe como el único dueño de la historia integrando, si bien efímeramente, los distintos territorios de la Nueva Granada. El tránsito es habilitado por una particularidad de indudable importancia en su argumento: el blanco no sufre la influencia del clima y por ello no tiene cuerpo, en cuanto el clima en Caldas es lo que produce cuerpos no hispanos.

La noción de *tránsito* en Caldas será la manera de recorrer un mapa ya trazado que empieza y termina en un solo punto: las regiones de altura andina como únicos espacios desde donde se puede ejercer el trabajo intelectual como marca racial: escribir y leer como ordenar. El *tránsito* en Caldas es también la prerrogativa de vivir el espacio históricamente convirtiendo en lugares los espacios transitados, al entender que el único espacio que pertenece a la historia (de Europa) son los Andes. La *interrupción* del tránsito por la tierra caliente nunca será vista por Caldas como una oportunidad para el ocio, el conocimiento, la posibilidad de permanecer o perderse. Al contrario, la interrupción del tránsito siempre reactiva el deseo por volver al punto de partida, es decir, regresar a los espacios de la escritura en la altura andina para confirmar la inherente calidad inhabitable de la tierra caliente.

Como veremos, para Caldas los "países ardientes" son inherentemente lugares de tránsito hasta tanto la civilización no opere sobre ellos a través del exterminio de las selvas como lugares inhabitables y la subsiguiente reinvención de sus llanuras deforestadas como lugares útiles para la empresa. Este es un acto de violencia que Caldas desata sobre el espacio, esperando que dicho acto transforme al mismo tiempo el clima y a los hombres. En Caldas, deforestar implica cambiar el clima y cambiar el clima implica transformar a los hombres. El deseo por la eliminación de la selva se sustenta en la invención de estos espacios como lugares de ineficaz administración de la abundancia, de enfermedad y ruina. La explotación económica de "los países ardientes" a partir del conocimiento científico de la naturaleza será en Caldas la única manera de integrar y vencer las escisiones internas en el territorio de la Nueva Granada. Con lo cual la explotación económica será la forma de conectar el territorio de la Nueva Granada, concibiéndolo como uno solo y creando una narrativa a través de la cual nada puede quedar fuera de él desde que pueda ser explotado comercialmente (Sloterdijk).

Así, la visión ilustrada de Caldas encuentra, de la misma manera que sus pares europeos de zonas de clima de estaciones, que "la ciencia moderna, la industria y la tecnología proveen los medios para emancipar al hombre de los límites naturales que lo aprisionan en un estado de carencia perpetua"[13] (Harvey, *Justice, Nature* 126). Sin embargo, al dar por ciertas estas premisas de climas de estaciones, Caldas caerá en una contradicción a la hora de trasplantarlas a tierras tropicales. Caldas concebirá la civilización como la administración de la carencia (Castro-Gómez, *La hybris del punto cero* 62). En adelante y para los herederos del pensamiento caldasiano, tal concepción decodificará la abundancia del trópico —su régimen de estabilidad de oferta de luz a través del año— como una aberración, un exceso generador de molicie, lujuria y enfermedad, que debe ser erradicado. Comienza así, entre nosotros, un deseo por erradicar el trópico del trópico mismo.

Máquinas climatológicas

La idea de que el clima de estaciones les permite a las sociedades lograr la civilización porque las obliga a cultivar y almacenar de acuerdo con la temporada; mientras que las tierras tropicales, al ser tan fértiles, no estimulan al hombre al trabajo, y por tanto lo confinan a un eterno salvajismo, aparece desde Hipócrates y —recorriendo el largo camino desde la medicina hipocrática hasta la tropical— se reproduce en Montesquieu (234), Blumenbach (en Hannaford 210), en Kant (*Observaciones* 76), e inclusive en el mismo Humboldt. El viajero alemán reescribe en *Ensayo sobre la geografía de las plantas* (1805) la antigua idea eurocéntrica de que "los lugares que se cultivan fácilmente producen personas perezosas"[14] (en Arnold "Tropical Medicine Before Manson" 16), para entender que Europa es el lugar "donde la civilización alcanzó mayor grado de perfección y por ello donde la población creció más"[15] (Humboldt y Bonpland, *Essay on the Geography* 72). En este ensayo, traducido del francés por el ilustrado neogranadino

---

13. "modern science, industry, and technology provide the means to emancipate human beings from the natural limits which confined them to a state of perpetual want".

14. "the lands that are easily cultivated produce lazy people".

15. "where civilization perfected itself and where consequently population increased the most".

Jorge Tadeo Lozano e impreso en el *Semanario* de Caldas y Camacho, Humboldt escribe: "En los países inmediatos al ecuador, el hombre es demasiado débil para domar una vegetación que esconde por donde quiera el suelo, sin dejar aparente otra cosa que el océano y los ríos, vegetación que lleva en sí misma cierto sello de majestad agreste, al lado del cual perecen impotentes todos los esfuerzos de la agricultura" (*Semanario* tomo II 39). Para entender que un criollo en los trópicos narre coherentemente un espacio que él llama Patria a partir de premisas eurocéntricas, hay que comprender también la manera en que Caldas crea un mapa ideológico dividido entre tierras frías como tierras no tropicales y tierras calientes como tierras verdaderamente tropicales.

"Del influjo" es un texto ambicioso que traza los efectos del clima a nivel planetario, para luego hacer lo mismo en el territorio de la Nueva Granada. Caldas empieza por contraponer dos hombres que sufren climas opuestos: el frío de los Polos y el calor del África ecuatorial. Atormentado por un frío extremo, del primero dice que "no conoce otra ocupación que la caza de la zorras [...]. Sin religión, sin principios, sin moral, es supersticioso, grosero y sin pudor" (*Obras* 86). Para concluir, suscribiendo los insultos del naturalista francés Georges-Louis Leclerc, conde de Buffon, y añadiendo los suyos propios, los califica de "raza infame, degenerada y circunscrita en los hielos polares" (*Obras* 87). Sin ninguna consideración temporal, para Caldas "el hombre del Polo" eternamente ha vivido igual. Lo mismo "el negro del África" de quien dice: "sano, bien proporcionado, vive desnudo bajo chozas miserables. Simple, sin talentos, solo se ocupa con los objetos de la naturaleza conseguidos sin moderación y sin freno. Lascivo hasta la brutalidad, se entrega sin reserva al comercio de las mujeres" (*Obras* 87). Una vez narrados los extremos del clima, Caldas se mueve a esos "países afortunados que, igualmente distantes de los hielos y de las llamas, gozan de la más dulce temperatura, los animales que allí habitan han suavizado su carácter y han cedido a las benignas impresiones del clima" (*Obras* 89). Este espacio de clima perfecto, al contrario del África o los Polos, no tiene localización determinada. Silenciar el lugar del clima perfecto equivale a inscribir invisiblemente su lugar en ese espacio privilegiado, que son los Andes a "igual distancia de los hielos y las llamas", logrando crear la civilización en la altura andina como el justo medio simplemente en virtud de que comparte con Europa un clima similar (Appel 84).

Los Andes tropicales son para Caldas, como para muchos otros naturalistas de la época, la suma del mundo debido a su diversidad de climas que crean diferentes productos en flora y fauna (Nieto Olarte, *Americanismo* 25). La totalización del espacio en desmedro del tiempo lleva a Caldas a inventar lo que quiero llamar *máquinas climatológicas* es decir, ficciones de totalidad que replican, a un nivel micro, las operaciones macro del texto mismo, mostrando al cuerpo como un mero producto del clima. En "Del influjo" Caldas describe dos máquinas climatológicas que lo muestran a él como un taumaturgo que ve a través de ellas la totalidad de una humanidad sin historia y estática, compartimentada en diferentes cuerpos producidos por el clima. La primera de esas máquinas es un mapamundi viviente donde Caldas puede constatar que todo en el mundo tiene límites dados por el clima menos el hombre, un cierto tipo de hombre como él, que es libre (del clima), "todo lo ha subyugado" y ha logrado poner la naturaleza a sus pies:

> [...] [Q]ue el globo ruede bajo nuestros pies; que nos presente sucesivamente su superficie una veces cubierta de ciudades soberbias, y otras de vastas soledades; aquí, arenas estériles en donde nada respira y en donde se han extinguido el verdor y la vida; allí las selvas espesas habitadas de fieras [...] hombres negros, hombres blancos, hombres aceitunados, y todos los tonos de piel; hombres gigantescos, hombres enanos [...] pueblos desnudos, aquí, feroces, crueles, lascivos (*Obras* 91).

Caldas es el único que se mueve por esta geografía planetaria, mientras el objeto de su observación permanece estático. Él es un hombre sin calificativos que tiene a la naturaleza literalmente a sus pies. La segunda máquina climatológica también crea un espacio donde se privilegia el sentido de la visión —ver en otros cuerpos el clima— en desmedro de otros sentidos. En ella encontramos a un monarca que puede reunir en su corte a "un negro, un lapón, un quimio, un persa, un chino, un parisiense, un hotentote, un patagón [...] y que todos obrasen [en su corte] con la libertad de sus países originarios, ¡qué variedad en el talle, en la estatura y en el color! ¡Qué diferentes los gustos, las inclinaciones, las virtudes, los vicios!" (*Obras* 94). Aquí quienes se mueven son los representantes esencializados de las distintas culturas en una alegoría de un extraño anacronismo para su época (por ejemplo, un patagón). En esta fantasía todos habitan sin embargo un solo lugar imposible, la corte del monarca, donde, a la manera del mapamundi viviente, la mirada es la que se mueve de unos cuerpos a otros, contrastando y comparando con prescindencia del lugar desde el cual el observador omnipotente los mira. Tanto el mapamundi viviente como "la fábula del monarca poderoso" son fantasías de la mirada que replican una visión sin cuerpo, desmarcada de cualquier punto espacial y temporal, queriendo trascender la marca política y étnica, a partir de una ciencia "neutra" fundamentada en la raza y el clima. Es una mirada que ve pero no siente. Fuera del clima, el ojo se puede separar del cuerpo.

En estas fantasías vemos desplegada lo que Santiago Castro-Gómez ha llamado "la *hybris* del punto cero": "la mirada que pretende articularse con independencia de su centro étnico y cultural de observación" (*La hybris* 60). La mirada que observa sin ser vista, que no toca para no ser tocada, le permite a los criollos imaginarse "estar ubicados en una plataforma neutral de observación, [por medio de la cual] [...] 'borran' el hecho de que es precisamente su preeminencia étnica [...] lo que les permite pensarse a sí mismos como habitantes atemporales del punto cero, y a los demás actores sociales (indios, negros y mestizos) como habitantes del pasado" (Castro-Gómez, *La hybris* 59). Lo que yo aquí quiero contribuir a la conceptualización fundamental de Castro-Gómez, es que es el clima —su supuesta no influencia sobre sujetos criollos como Caldas— lo que le permite desmarcar su cuerpo para marcar otros como cuerpos sí "influidos", arruinados, por el trópico. Quiero pensar la *hybris del punto cero* de Castro-Gómez como la forma de evadir la historización de la posición del criollo en los trópicos, a pesar de que es en la materialidad de su escritura donde se muestra, a la vez, su artificio y su marca histórica. Comenzar a desnaturalizar el poder de personajes[16] como Caldas sobre el espacio americano, pasa

16. Camilo Torres Tenorio, primo hermano de Caldas, payanés, prócer y mártir de la independencia como el propio Caldas, escribió su famoso texto conocido como *Memorial de Agravios* a finales de 1809. Más allá de elevar las peticiones de los criollos frente a los peninsulares, este escrito es también una máquina deshistorizadora que iguala razas en desmedro de culturas, equiparando en todo —como lo deseaba Caldas— a los españoles con los criollos, saltándose una historia de trescientos años de colonización en América. Tal vez en la parte más conocida de ese texto, Torres escribe: "Tan españoles somos, como los descendientes de Don Pelayo, y tan acreedores, por esta razón a las distinciones, privilegios y prerrogativas del resto de la nación [española]" (Torres 17). Le agradezco a Erna Von Der Walde Uribe por hacerme consciente de

por mostrar cómo la construcción del criollo es una identidad producto del movimiento, de la inmigración; un movimiento que desea ser borrado para naturalizar su posición de dominación. En efecto, no escribir/inscribir su posición en el mapa pasa por (suspender) el clima. Esto les permite a los criollos naturalizar una posición, históricamente dislocada: ellos son descendientes de europeos venidos a "la zona tórrida".

Mauricio Nieto Olarte argumenta que la obsesión de los criollos con la raza y el clima en el *Semanario* responde al hecho de que los criollos mismos temían los efectos que el clima tropical pudiera tener sobre sus cuerpos y sobre los de sus descendientes (Nieto Olarte, *Orden natural* 163). Susana Rotker ha mostrado que "[e]n Bolívar se pueden encontrar muchos ejemplos de cómo su generación se sirvió de las ideas europeas, adaptando solo la parte que les convenía" ("Juramento" 75). Este es claramente el caso de Caldas quien, como parte de la generación emancipadora, se crió "en la época de la denigración del continente americano" (Rotker, "Pensamiento" 69). Su respuesta a los textos europeos que denigraban el trópico americano es acomodaticia y altamente ideologizada. Sí, el continente es inferior, pero no en su totalidad, argumenta Caldas. Hay partes de América sobre las cuales el clima —al ser frío— no degenera las "razas". Adaptar la parte del pensamiento europeo que les convenía es literal en Caldas. Solamente en una parte operan las tesis climistas de De Pauw o de Buffon. En otras partes —específicamente donde habita él— tales tesis no se aplican.

La organización del paisaje tropical de altura andina que distribuye los cuerpos a partir del clima es en rigor un dispositivo de organización colonial de jerarquías sociales. De manera muy humboldtiana, los Andes en Caldas serán el espacio privilegiado, no solamente para reunir todas las especies botánicas, como lo mostró el viajero alemán con su *Ensayo sobre la geografía de las plantas*, sino donde "se puede decir se toca el influjo del clima sobre el hombre" (Caldas, *Obras* 100). El clima en Caldas es la fuerza natural que detiene o moviliza la historia, creando y repartiendo, separadamente, las "razas" en el trópico andino, localizando la prehistoria en el mutismo de "los Indios del sur" y la rebeldía en los mulatos de los "bosques intemporales", hasta llegar a

la conexión entre los primos Tenorio (Camilo Torres y Caldas Tenorio) y la redefinición de lo criollo en vísperas de las revueltas independentistas.

los mestizos y blancos de la cordillera que "lloran [las perfidias en] el idioma sublime y patético de la poesía" (*Obras* 100).

Caldas entiende la naturaleza por fuera de la cultura, no como un lugar construido, politizado porque visto, sino inmanente[17]. La naturaleza para él es "algo que existe 'allá afuera', en la vida de las plantas, en el comportamiento de los animales, en el patrón de los vientos o de las corrientes oceánicas"[18] y no como un constructo que existe dentro de nuestra propia conciencia histórica (Arnold, *The Problem* 10). Para ver la naturaleza, igual la fauna, la flora y la humana, a Caldas le basta observarla para entenderla. Esa es la ficción que escenifica Caldas de igual forma con el mapamundi viviente que en la corte del monarca poderoso. Ambas le permiten ejercer lo que para él es un juicio científico y no político, un ver sin sentir, un ojo sin cuerpo, donde todos los otros hacen parte de la naturaleza, menos el cuerpo suyo.

Las operaciones que se llevan a cabo en micro en estas *máquinas climatológicas*, Caldas las lleva a cabo en macro en el ensayo de "Del influjo". En efecto, en el texto usa la misma narrativa que para describir esa mirada desmarcada de cualquier referencia corporal. En el último acápite de "Del influjo" llamado "conclusión", Caldas cierra una sucesión de subcapítulos que van en el siguiente orden: "el calor y el frío", "la presión atmosférica", "la electricidad", "las montañas", "los vientos", "los ríos", "las selvas", "las lluvias" y "los alimentos", todos como fuerzas que, juntas, de acuerdo con Caldas, determinan el clima y, a través suyo, al hombre.

> Que se reúnan los efectos del calor y del frío, de la presión atmosférica, de la electricidad, de las montañas, de los vientos, de los ríos, de las selvas, de las lluvias y de los alimentos; que se acumulen sobre los individuos en diferentes proporciones, y combinados de todos los modos posible; en fin, que su imperio se perpetúe y pase de generación en generación. Los productos variarán como las causas: el hombre adquirirá el color negro, blanco, aceitunado y todas las tintas (*Obras* 119).

17. Como sostiene Alejandro Castrillón la percepción del paisaje no es apriorística, sino fruto de una ideología: "Estos dictados [de percepción del paisaje] no son *a priori* de nuestra sensibilidad con respecto al paisaje, ya que no hay una sensibilidad original con respecto a la naturaleza sino políticas con referencia al paisaje y a la organización de territorios" (Castrillón xiii).

18. "simply something that exists 'out there', in the lives of plants, the behavior of animals, or the pattern of winds and ocean currents".

Como si fuera el monarca poderoso de la fábula analizada más arriba, Caldas da un(a) orden y pone en movimiento en su "conclusión" todos los factores listados para ver sus efectos sobre el cuerpo de un hombre. Su texto, así, es también una máquina climatológica productora de cuerpos. Parte del mismo acto, Caldas iguala orden, escritura y dar órdenes.

Transitar por las castas de la Nueva Granada

Luego de describir las maneras en que el clima ha operado sobre los hombres del Polo y el África ecuatorial, Caldas pasa a analizar el "influjo del clima" en el territorio de la Nueva Granada. Comienza su recorrido desde el sur del territorio y la parte baja del paisaje montañoso para ir subiendo poco a poco la montaña, yendo de los climas "más ardientes" a los "más benéficos". Este movimiento equivale a moverse hacia el norte igualando, colonialmente, sur con "abajo" y norte con "arriba", con lo cual el norte-arriba es el futuro o el *telos* del sur-abajo, dividiendo espacial y temporalmente lo cálido de lo frío, copiando la segmentación global entre lo tropical y el norte global a un nivel local.

Caldas ofrece las representaciones de la geografía humana de la Nueva Granada como un producto de su experiencia de viajero. Las conclusiones, "lo que he recogido en mis viajes" (*Obras* 98), es lo que leemos en "Del influjo". Caldas hace un relato pormenorizado a través del cual describe la Nueva Granada como un espacio habitado por personas con quienes nunca tiene contacto alguno, ni físico ni visual. Al practicar un universalismo que no se da por disputado, nunca se ve a sí mismo observado por los otros. Este viaje fantasmagórico por un territorio sin tiempo es un tránsito que nunca se ve interrumpido por una escena que haga del lugar espacio invitando a Caldas a comer, oler, hablar, sufrir, reír o escribir en estos paisajes e interactuar con estas gentes.

Así comienza su galería de los tipos humanos de la Nueva Granada en "los países más ardientes de esta preciosa porción de la Monarquía" (*Obras* 94):

El indio de las costas del Océano Pacífico es de estatura mediana, rehecho, membrudo; sus facciones, aunque no bellas, nada tienen de desagradable;

el pelo negro, grueso, algún tanto ondeado, poca o ninguna barba; la piel broncedada *y mucho más moreno que los habitantes de la cordillera*. Sus mujeres en poco se distinguen de los hombres. La belleza, los rasgos delicados que distinguen su sexo en los demás pueblos de la tierra, aquí parece que faltan (*Obras* 96; cursivas mías).

Siempre usándola de referente, Caldas nunca puede ignorar la cordillera. Lejos de ella el hombre deviene en un ser más oscuro en un doble sentido: en color de piel y en atraso respecto a las comunidades hispanizadas, supuestamente más blancas, de los Andes. Volviendo sobre el viejo tópico del hermafroditismo como rastro de incultura, Caldas no encuentra diferencias físicas entre los hombres y mujeres indígenas del sur. Tampoco ve en ellos una vida interior que le haga desconfiar y pensar que pueden ocultar algo que él no logra ver. Por el contrario, el silencio de los indios nunca es leído como desconfianza o rebeldía, sino como una cualidad inherente a su carácter; solamente interrumpida por el festejo, "[cuando] beben, comen y danzan sin moderación y sin freno" (*Obras* 97). Seres desprovistos de tiempo, Caldas nos cuenta que los indios "durante tres, cuatro o más días oyen con placer el sonido monótono de un tambor" (*Obras* 97). Al reconocer que el indio "hila, lava, teje, adereza el alimento, asea la casa y su familia", sostiene que no lo hace por inclinación, sino por necesidad; con lo cual regresa la cultura, la posibilidad de concebir el tejido como una manera de hacer comunidad, al instinto de supervivencia. Caldas relata la vida de los indios como una existencia sometida a la intemperie, donde "la dieta, el recogimiento, el abrigo les son absolutamente desconocidos", abriendo la posibilidad de un nomadismo que, no obstante, no se mueve hacia ninguna parte.

Como si se tratara de personajes de cera, el indio del sur "no se arma ni ataca a las fieras con valor; pero ve los combates con un semblante sereno y sin estremecerse" (*Obras* 97). Su inmovilidad emocional es replicada por una inmovilidad física que es marca de la falta de historia que Caldas observa en ellos, al punto de retratarlos como hombres que no temen a la muerte ni a su inminencia: "Nada desea [el indio de las costas del sur]. Contento con su destino y con su país, mira con indiferencia al resto de la tierra [...]. La muerte misma no le turba: la ve acercarse con ojos serenos y expira con tranquilidad" (*Obras* 98). Caldas no construyó esta visión del indígena a partir de una ganancia epistemológica, fruto de la observación desinhibida y del contacto con las comunidades no hispanas. Al contrario, antes incluso de empezar el viaje traía su visión consigo, extrayéndola de ingentes lecturas etnocentristas. Sin ir más lejos, Buffon, un naturalista caro a Caldas y de quien cita numerosos trabajos suyos en "Del influjo", sostiene lo siguiente desde su despacho del *Jardin du Roi* en París: "El salvaje es débil y sus órganos de reproducción son pequeños; no tiene ni vello corporal ni barba ni ardor alguno por las mujeres de su tipo. Le falta la vivacidad y es inmutable en su alma"[19] (Buffon en Gerbi 6). Al igual que el epígrafe[20] que abre "Del influjo" y que es una cita de Lucano mal transcrita,[21] Caldas es un traductor/importador sin beneficio de inventario de ideologías europeas de tipo sino racista, preracista, sobre el nuevo continente. Baste con ver a Caldas como lector de Buffon para entender a través de qué prisma veía e inscribía a los "indios del sur" en el mapa ideológico de la Nueva Granada.

Después de "nuestros indios del sur" ahora el turno es para el mulato. Esencializándolo, al ver a uno, al igual que con los indios, Caldas ya los cree conocer a todos: "[El mulato] es alto, bien proporcionado, su paso firme, su posición derecha y erguida; [...] casi desnudo, apenas cubre las partes que dicta la decencia" (*Obras* 98). Al igual que el "indígena sin mezcla", el mulato no cuenta con un lenguaje distinto del de los gestos corporales. Desprovisto de idioma, Caldas piensa estar siempre interpretando el lenguaje corporal de las comunidades no hispanas de la manera correcta, como cuando escribe, llevando al

---

19. "The savage is feeble and small in his organs of generation; he has neither body hair nor beard and no ardor for the female of his kind [...] he lacks vivacity, and is lifeless in his soul".

20. Los epígrafes tanto de "Del influjo" como de "Estado de la geografía" provienen de autores europeos. De acuerdo con Alfredo J. Bateman, el editor de la obras completas de Caldas en 1966, el epígrafe de Lucano con el que abre "Del influjo" es una mala traducción (*Obras* 79). En lo que podría constituir una genealogía de textos de importación de ideologías eurocéntricas, este texto de Caldas –como también el *Facundo* (1845) de Sarmiento– empieza fundando imaginarios nacionales a partir de fallas en la traducción de textos europeos. Esa falla representa una problemática apropiación en el traslado de ideas aplicadas en Europa una vez pasadas a tierras americanas.

21. En la edición de las *Obras completas* de Caldas, Alfredo J. Bateman, a cuyo cuidado está la obra, encuentra que los versos de La Farsalia de Lucano tomados por Caldas para abrir "Del influjo" están invertidos. La traducción es: "los pueblos nacidos en los hielos del Norte son belicosos e indomables, pero los del Levante están enervados por la dulzura del clima" (Caldas, *Obras* 80).

extremo la caricatura: "[el mulato] se arroja con alegría sobre un leño en medio de un mar tempestuoso" (*Obras* 98). Sin miedo alguno y sin lenguaje tampoco para articularlo, para Caldas, el mulato desconoce el riesgo y carece incluso de los instintos animales más básicos. El amor, como el miedo, también se cifra en un gesto físico: "con desdén y dureza" el mulato arroja un animal cazado "a los pies de la que hace el objeto de sus amores" (*Obras* 98). Sin embargo, a diferencia del indio, Caldas encuentra que el mulato puede ser rebelde: "Cuando la sociedad en que vive quiere poner freno a sus deseo, cuando el jefe quiere corregir los desórdenes, entonces vuelve sus ojos a los bosques tutelares de su independencia" (*Obras* 99). El mulato es el primero de los tipos de Caldas que está dotado de movimiento, de capacidad de desplazamiento, lo cual, no obstante, no constituye una amenaza. El mulato no escapa hacia el espacio de Caldas, la altura andina, invadiéndola, sino hacia "los bosques interminables [...] de donde saca la mejor parte de su subsistencia" (*Obras* 98).

En el espacio que Caldas transita, la posibilidad de bajar hacia "las tierras ardientes" solamente existe para él. Los tipos de Caldas están atados a sus lugares al igual que a la narrativa que les determina al tiempo el clima y la "raza". En esta geografía fantasmal por donde solamente transita el hombre blanco que la narra —al estilo de un diorama— Caldas parece escribir para alejar hacia los márgenes esas comunidades distintas, apartándolas no solamente en el espacio, sino en el tiempo, confirmando lo que Cristina Rojas sostiene: "[l]a estrategia de dominación de los enemigos de la 'civilización' para los criollos fue apartarlos de los espacios comunes. A los negros enviarlos en el imaginario a un territorio salvaje, a los indígenas a un pasado distante, y a las mujeres a un ámbito doméstico" (122). En Caldas, el nomadismo de las castas que no viven en los Andes está signado por un movimiento de dispersión, pero refractario frente a los climas de altura. Al entender el nomadismo en una sola dirección, como escape y no como invasión, Caldas está reforzando las "fronteras imaginadas" (Múnera), no solamente dándoles un espacio acotado, sino un tiempo distinto del que vive Caldas. El contacto, siquiera visual, entre quien mira y quien es mirado, es una relación de simultaneidad que Caldas nunca explora y a la que tal vez teme, porque implicaría incluir a los indios y a los mulatos en su historia, haciendo del tránsito un viaje.

La tercera parada del tránsito de Caldas nos lleva más cerca a los Andes. Al subir la cordillera, Caldas encuentra ahora a los mestizos, de quienes dice:

> Estos son más blancos y de carácter dulce. Las mujeres tienen belleza, y se vuelven a ver los rasgos y perfiles delicados de este sexo [...]. Aquí no hay intrepidez, no se lucha con las ondas con las fieras. Los campos, las mieses, los rebaños, la dulce paz, los frutos de la tierra, los bienes de una vida sedentaria y laboriosa están derramados sobre los Andes [...]. Los celos, tan terribles en otra parte y que más de una vez han empapado en sangre la base de los Andes, *aquí* han producido odas, canciones, lágrimas y desengaños (*Obras* 100; cursivas mías).

En un territorio de pueblos nuevos como la actual Colombia (Ribeiro 484), Caldas des-lee la historia para concluir que es la ausencia de clima cálido la que blanquea cuerpos y por tanto los acerca a la civilización. La geografía de Caldas desconoce el movimiento colonizador español de los siglos XVI, XVII y XVIII, el desplazamiento o exterminio de comunidades indígenas, o la lógica económica de explotación de mano de obra esclava, como factores que determinaron la geografía humana de la Nueva Granada.

Por primera vez, en este punto y escalando los Andes, Caldas señala el lugar. El "aquí" nunca había aparecido en sus descripciones de los otros lugares transitados. Es importante que ese "aquí" tan cercano, sino concomitante al suyo, sea un lugar hecho espacio por el lenguaje y "la cultura", no por el escape del mulato o la inmovilidad del indígena. El allá es el antes, donde están los indígenas sin mezcla, luego —a medida que las "razas" puras se mezclan más con los blancos— se van acercando al aquí/ahora que es el espacio y el tiempo de Los Andes. Los mulatos —tocados por sangre blanca— merecen alguna ponderación por su belleza. Los mestizos, más parecidos a Caldas física y culturalmente, pueden hollar su mismo lugar de enunciación, aunque no totalmente. El blanco —el europeo en América, como lo entiende Caldas— está por fuera de la determinación del trópico. Sobre él el clima no ha operado de ninguna manera, a tal punto que en su propio mapa ideológico el criollo no aparece. Él es el único que se ha determinado a sí mismo, ganándole la partida a los elementos naturales. El criollo es el dueño de la historia en la Nueva Granada y es, por tanto, quien la escribe y la organiza.

Caldas piensa que hay líneas estrictas de separación geográfica entre las castas. Escribe, por ejemplo, como si se tratara de una observación botánica: "esta línea de separación en que acaba el negro y comienza el indio a prosperar, establecido a 900 toesas" (*Obras* 512). A tal punto naturaliza la historia de la colonización que Caldas anuncia la desaparición del indio en el evento de que este decida desplazarse. Escribe en su "Viaje de Quito a las costas del Océano Pacífico por Malbucho" de 1803: "Es casi inevitable la muerte del indio que nacido sobre los Andes, a una prodigiosa elevación, baja a 900 toesas sobre el nivel del mar" (*Obras* 512). Sin mezcla, el indio no debe salir de su lugar de confinamiento espacial: "observamos que el indio nacido y connaturalizado con los países ardientes, corre tanto riesgo en subir sobre los 900 toesas como el que vio la luz sobre este término, y temerario quiere pasar los límites que le prescribió la naturaleza" (*Obras* 513). La mezcla racial es una narrativa en Caldas que se resuelve en la hispanización de las castas. El único que no haya sido arruinado por el clima cálido, logrando moverse a través suyo y, así, haya ganado la historia como movimiento que vence el determinismo de las divisiones climatológicas, es quien esté mezclado con el europeo. El poder del blanqueamiento de crear espacios (y no lugares), como movimiento que integra las castas al presente de la civilización, queda explicado de la siguiente forma en Caldas cuando escribe en 1803 la narrativa que calla en su texto "Del influjo" de 1808:

> El español, sus hijos y todas las castas provenidas de su mezcla con el negro y con el indio, prosperan maravillosamente en todos los niveles, en todas las temperaturas y en todas las elevaciones posibles de la zona tórrida [...]. ¿Se habrá mejorado la constitución de nuestra especie cruzando las razas y mezclando al africano y al indio con el europeo? He aquí una de las cuestiones más importantes al género humano, y que merece muy bien hacer el objeto de las indagaciones de nuestros filósofos (*Obras* 513).

De esta manera, algo así como la sangre europea es la historia. Quien no la tenga no puede moverse. Es en esta, su *Memoria* sobre Malbucho, donde explica las relaciones entre raza, movimiento y civilización. En "Del influjo" simplemente naturaliza este paisaje como si viera un corte transversal de las jerarquías socio-raciales de la colonia. El cruce de razas es también el cruce de temperaturas y la mezcla de espacios, pero solamente si pasan por la "raza" europea. Tal vez en esta lectura del espacio esté la clave para leer el inicio de la narrativa del mestizaje como promesa de progreso —la narrativa maestra de la República hasta hoy— en tanto y cuanto elimina la diferencia en favor de la supremacía de una sola narrativa eurocéntrica. Ileana Rodríguez ha analizado la visión del "indio" como una interrupción del progreso porque es visto como un ser premoderno (200). El mestizaje quiere ser leído en Caldas como blanqueamiento, es decir, como una "máquina del tiempo" —como dice Castro-Gómez— pero que es más bien una "máquina del espacio" que quiere convertir a los "habitantes del pasado" —negros o indios— en "habitantes del presente" (Castro-Gómez, *La hybris* 59) precisamente al convertirlos en habitantes *como* los de los Andes de la Nueva Granada, pero que no pueden cohabitar en su mismo espacio.

Al concebir la civilización como un camino que se construye verticalmente, de abajo hacia arriba, viendo en Los Andes el *telos* de la civilización, queda representada la geografía triangular del territorio neogranadino. Los indios nómadas en las selvas, más arriba los mulatos en las costas, subiendo aún más por los Andes los *cobrizos* (Caldas, *Obras* 92), luego los mestizos de tez clara y finalmente a los criollos, hasta alcanzar el lugar de altura que coincide con el del trabajo intelectual: la escritura. Ahí está Caldas en el punto culminante de la pirámide, ocluido para el lector porque ocupa su mismo sitio: la audiencia de 80 suscriptores del *Semanario del Nuevo Reino de Granada*, constituida por hombres blancos, "una comunidad de interpretación [con] una misma visión cultural" (Silva, *Los ilustrados* 645). Relatarles a ellos quienes son y qué lugar ocupan en el tiempo y en el espacio es una narrativa que ya suple el hecho mismo de que son ellos quienes distribuyen y organizan los otros cuerpos en esta geografía imaginada. El clima no los organiza a ellos, no los influye. Al contrario, ellos organizan las maneras como el clima influye en los otros. Ese poder los localiza, lo dice sin decirlo Caldas, en el ápice de la pirámide de su propio mapa ideológico.

El historiador Alfonso Múnera llama a esto "geografía de la exclusión" (78) y a su organización espacial "colonialismo interno" (70). Sin embargo, la particularidad de Caldas yace en que —dada

la coyuntura de inestabilidad política de la primera década del xix—
su discurso es perversamente descolonizador al desconocer el movimiento poblacional producto de la colonia, para proponer una imaginación neocolonial, naturalizándola a través del poder organizador
del clima sobre los cuerpos.

Fantasías de la deforestación

En la narrativa espacial de Caldas no hay interrupciones. No hay blancos en las costas del sur. No hay negros tampoco en los climas de
altura andina, como no hay eucaliptos, por ejemplo, en las playas del
Caribe. Su geografía es estática tanto espacial como temporalmente,
lo cual le permite pasar por ella sin asombrarse, sin entrar en dudas
respecto a sus concepciones. Esto nunca es más claro que en su representación de la selva. Descender a la selva, al igual que contemplar "a
nuestros indios del sur", es regresar en el tiempo a un paisaje que se
identifica como "ruinoso". La presencia de la selva se hace sentir en el
sonido de la caída de los árboles. El desplome de los árboles en medio
de la noche interrumpe el sueño de Caldas: "[...] en su ruina [los árbo-
les] envuelven a todo cuanto existe en su vecindad: hombres, animales,
plantas todo queda oprimido bajo su mole" (*Obras* 102).

El tópico de la ancianidad de las selvas que son "tan antiguas como
la tierra que las produce" (Salazar en *Semanario* Tomo I 208), como
sostiene otro criollo ilustrado que escribe en el *Semanario*, no obsta
para que sean amenazantes y cobren vida propia. Se desciende a ellas al
mismo tiempo que se viaja al pasado. Son ruinosas, están en perpetua
caída, y sin embargo amenazan con "envolver a todo cuanto existe en
su vecindad" con una fuerza propia temible. Caldas ve su sueño interrumpido por la caída de un árbol y esto no produce, al parecer, otra
sensación que confirmar que tiene que salir de ahí cuanto antes, si no
quiere perecer bajo su ruina. El paso por la ancianidad de esa selva[22] en
permanente demolición se representa en Caldas como un paisaje que

---

22. La selva de la que habla Caldas, claro, es la selva de tierra caliente, es decir, la
selva de baja altura. Para él cuando se sube por los Andes los bosques y las selvas dejan
de ser amenazantes. En la "región media de los Andes (desde 800 hasta 1500 toesas), con
un clima dulce y moderado (de 10 a 19 Reaumur), produce árboles de alguna elevación

debe ser dejado atrás geográficamente porque ya se lo observa como parte del pasado que le impide descansar, reponer las fuerzas necesarias para seguir transitando por ella.

En su libro *Americanismo y eurocentrismo* (2010), Mauricio Nieto Olarte establece la diferencia entre el pensamiento caldasiano y humboldtiano respecto al llamado Nuevo Mundo. Para él la llamada Disputa del Nuevo Mundo (Gerbi) se cifra en sopesar las maneras en que los distintos autores entienden las semejanzas y diferencias entre la naturaleza americana y la europea. Al contrario de la visión de Buffon y De Pauw, quienes ven en América un continente húmedo, enfermizo e inhabitable, Humboldt tiende puentes acercando en sus semejanzas ambos continentes. Lejos de plegarse a las manidas versiones que ensalzan a Humboldt como el redescubridor científico de América, Nieto Olarte escribe que la obra del viajero alemán:

> [...] es un gran esfuerzo por comprender el Nuevo Mundo como parte de un único universo de un orden mundial, tanto en término de su geografía y naturaleza, como de su historia [...] este proceso de incorporación [de integrar el "Nuevo Mundo" al viejo] requiere de una traducción del Nuevo Mundo a marcos de referencia europeos, "universales", y que esta es una forma de eurocentrismo en cierta forma más efectiva que las tesis excluyentes de autores como Hegel (*Americanismo* 118).

Caldas está a medio camino entre la visión integradora de Humboldt respecto al proyecto universal de la civilización europea, y la condena europea sobre América de un Buffon o un De Pauw. "Lo útil" o el "conocimiento útil" —como lo dice el prospecto del *Semanario del Nuevo Reino de Granada* para el año 1809 (*Semanario* tomo II 18)— será la formulación a través de la cual Caldas y los criollos reunidos en torno al *Semanario* entenderán la posibilidad de incorporar las riquezas materiales del trópico de baja altura al proyecto civilizatorio. La utilidad en Caldas es solamente otro nombre para la ganancia comercial, en términos de hacer del territorio un espacio rentable a través del cultivo de productos como la quina contra la malaria

---

[...] lejos del veneno mortal de las serpientes, [...] pasean sus moradores los campos y las selvas con entera libertad" (*Obras* 187). El ocio y el descanso, entonces, solo se permiten a cierta altura barométrica.

o el "té de Bogotá" en reemplazo de hierbas medicinales del Medio Oriente bajo el dominio de los holandeses o ingleses[23].

En un giro que iguala utilidad con belleza, Caldas fantasea los territorios tropicales de baja altura —los "países ardientes"— como lugares productivos y experimenta una sensación de placidez al verlos desplegarse cultivados ante sus ojos, pero deshabitados de la mano de obra que los cultivó; una mano de obra casi siempre esclava, indígena o mulata en la Nueva Granada. En su "Memoria sobre la importancia del cultivo de la cochinilla" de 1810, Caldas pondera los beneficios de naturalizar producciones foráneas en el territorio de la Nueva Granada y fantasea, en medio de un rapto de placer que no duda en representar, el siguiente paisaje:

> Cuando veo lo posible de este proyecto [la naturalización de las plantaciones de Asia y África en los pisos térmicos del trópico andino]; cuando me imagino las llanuras fecundas del Orinoco cubiertas de canelos, de jiroflés, de nuez moscada, de pimienta; cuando considero que estos precioso efectos salen del monopolio holandés, que se difunden desde Méjico hasta Chile, que enriquecen, que elevan a la América, y con ella el comercio, la industria y la gloria de la nación; cuando esta perspectiva seductora, digo, se presenta a mi imaginación; el alma se transporta, el corazón... (*Obras* 276; puntos suspensivos en el original).

Las fantasías comerciales de Caldas desocupan el espacio de vegetación improductiva. Así, desean aniquilar, sin decirlo manifiestamente, las comunidades que vivían desde hace mucho tiempo de/en ella al mismo tiempo que fantasea deforestar lo que se interpone entre el Orinoco y los cultivos de jiroflés o nuez moscada: la selva o los morichales.

A este respecto son elocuentes los prolijos dibujos que hizo Caldas de los Andes. Son mapas sin aparente utilidad de decodificación científica (como sí lo son los mapas suyos que hacían parte de su proyecto

---

23. En su libro *Remedios para el imperio* (2002) Mauricio Nieto Olarte sostiene que "[l]a exploración botánica era en realidad una política de substitución de importaciones para reemplazar los productos de Oriente que estaban bajo el monopolio de Holanda e Inglaterra" (134). Sin duda esto es cierto, pero en Caldas la *utilización* de "los países ardientes" (186) pasa también por la consideración política de su dominación en términos culturales para homogeneizar a las comunidades que él bien sabía habitaban en esos lugares.

de Atlas). En ellos, como sostiene Mauricio Nieto Olarte, "se confunden los objetivos de la cartografía, la botánica y la pintura de paisaje" ("Caldas, la geografía" 38). Estos dibujos son mapas de perfil y altura de los Andes tropicales, donde el territorio se ve despoblado y aparecen —si las hay— pequeñísimas habitaciones diminutas (iglesias, por ejemplo), que ceden ante la magnitud de las montañas. El paisaje en estos dibujos se presenta a la mirada como deshabitado y apropiable. Su valor estetizante, fácil de mirar y disfrutar, tiene un correlato político: el deseo por desforestar el espacio. En estos dibujos no hay selva y no hay gente. Las superficies no esconda nada a la mirada. En ese sentido son pinturas que imaginan una vegetación selvática podada, tras la cual queda una superficie presta a ser apropiada, poblada, convertida en dehesas y puesta a producir (ver imagen 1). Son fantasías de una futura civilización postselvática en el trópico.

Interesantemente, este mapa convierte los espacios en lugares (De Certeau). Es una radical fantasía de la deforestación en momentos en los cuales no existía la tecnología —por lo menos en la Nueva Granada de entonces— que pudiera masivamente talar los bosques y selvas que Caldas observaba como ruinoso obstáculos al progreso. La imposibilidad de cortar la selva y, por tanto, la compensatoria fantasía de imaginar su poda masiva, hablan de las ansiedades subyacentes a no poder ingresar a la historia (de Europa) entendida como fenómeno postforestal (Harrison 247) que debe ser adaptado en el trópico como narrativa espacial y temporal del progreso[24].

A diferencia de Humboldt, cuya visión ahistórica sobre el trópico quiere ser "una cándida y pacificista visión, porque ninguno de los obstáculos que pudieran interponerse al progreso occidentalista aparecen en el paisaje"[25] (Pratt 124), en Caldas sí hay un obstáculo al progreso de la civilización en el trópico: son las selvas las que crean el clima malsano que hace de estos territorios lugares inhabitables. Caldas pretende integrar la geografía tropical a partir de los productos útiles que esta produzca, es decir, las mercancías que puedan servir a

---

24. Le agradezco a Gabriel Giorgi haberme hecho pensar, primero, en la imposibilidad tecnológica de talar la selva en este momento histórico. Y, de forma más importante, reflexionar sobre qué nos dice esta frustración sobre el pensamiento civilizatorio de Caldas en el trópico.

25. "a peace-loving, Utopian [formulation]: [because] none of the obstacles to occidentalist progress appear in the landscape".

aumentar la riqueza de la Nueva Granada. Utilizar la geografía tropical de tierra caliente para él implica eliminarla y trasplantar sobre ella producciones rentables de otras partes, pero de la misma latitud.

Al reescribir gramáticas coloniales de viejo cuño, Caldas representa la selva como una geografía al mismo tiempo malsana y ruinosa simplemente porque no puede ser apropiada por el proyecto civilizatorio, el cual muestra, ante la selva, su factura provincial al fallar discursivamente en integrarla. La selva, así, es un espacio para constatar la falla del racionalismo occidental, que, a su vez, como lo ha sostenido Graciela Montaldo, "permite explorar ciertas zonas problemáticas de la modernidad cultural latinoamericana" (119). Caldas inclusive va más allá al vaticinar que en la tierra caliente no puede prosperar la vida humana, porque "la voz lánguida y pausada, unida a un rostro descarnado y pálido, anuncian que estas regiones ['los países ardientes'] no son las más ventajosas para el desarrollo de la especie humana" (*Obras* 186). La selva como espacio de la enfermedad, donde la vida engendra a la muerte y la muerte a la vida, cíclicamente, desquiciando este espacio de toda continuidad temporal progresiva, representa la frustración del proyecto civilizatorio por imponer sobre esos espacios la eficiencia, el control y el movimiento. Así describe Caldas la selva:

> Los países que se hallan cubiertos de árboles coposos que no dejan penetrar los rayos del sol hasta la tierra, conservan una humedad eterna que también se comunica al aire que los rodea. Este aire [el de las selvas], cargado de humedad, se carga también de exhalaciones de las plantas vivas y de las que se corrompen a sus pies [...]. Ellas [las lluvias] empapan, anegan la tierra y la hacen excesivamente enferma. De aquí las fiebres intermitentes, las pútridas y las exaltaciones de las más vergonzosas enfermedades. De aquí la prodigiosa propagación de los insectos y de tantos males que afligen a los desgraciados que habitan esos países. *Que se corten estos árboles enormes, que se despejen estos lugares sombríos, que los rayos del sol vayan a moderar esa humedad excesiva [...]: entonces, como por encanto, todo varía. Las lluvias, el trueno, las tempestades disminuyen, las fiebres, los insectos y los males huyen de estos lugares, y un país inhabitable se convierte en otro sereno y feliz* (*Obras* 116; cursivas mías).

Es el exceso de calor y humedad lo que hace de estos espacios lugares inhabitables. Caldas aconseja el exterminio de la selva en términos nada ambivalentes. La extraña formulación "por encanto" a un mismo tiempo construye una impersonalidad para referirse a la acción de violencia de arrasar un espacio habitado por culturas ancestrales, pero también devuelve a un principio mágico la eliminación de un territorio cuya real deforestación era históricamente imposible en ese momento. El paso gratuito de un país "inhabitable" a uno "sereno y feliz", se cifra en el control sobre los elementos naturales que perturban la domesticación de un paisaje que se resiste a plegarse a los designios modernizadores. El fin de las tempestades, de las fiebres y los insectos es el fin también de los elementos que Caldas encuentra son constitutivos de la selva. Hacer de la selva un país habitable implica, por tanto, eliminarla como territorio particular e integrarla a una historia que la convierta, al igual que los Andes, en un "territorio sereno y feliz".

Andinizar la selva en Caldas es europeizar el trópico. Caldas compara la Nueva Granada con Europa para decir que "Francia, en otro tiempo cubierta de bosques y de pantanos, era fría y alimentaba en su seno los renos y los animales del Norte" (*Obras* 117). El anacronismo de *selvatizar* a Francia crea una narrativa donde la deforestación es la llave para alcanzar la quimera eurocéntrica de la modernidad como lugar de la razón, porque los bosques "en la memoria cultural de Occidente 'corresponden' a la exterioridad del *logos*"[26] (Harrison 247; cursiva en el original), para convertirse en los lugares a los que van en fuga "los bandidos, los héroes, los viajeros, los amantes, los santos y los perseguidos"[27] (Harrison 247). Robert Pogue Harrison ha analizado, a través de textos canónicos europeos, los rastros de un pasado encantado, de mitos y leyendas, que ha permanecido en una Europa nacida de un enorme bosque podado. Su texto reflexiona sobre las marcas que ha dejado la deforestación en la imaginación literaria europea, al mismo tiempo que muestra cómo el bosque en Europa ha sido leído como aquello que se debe dejar atrás para acceder a la historia en una linealidad donde "las chozas se convierten en pueblos, luego estos en ciudades y finalmente en academias cosmopolitas, mientras que las selvas se mueven cada vez más lejos de los centros deforestados"[28]

---

26. "in the cultural memory of the West 'correspond' to the exeriority of the *logos*".
27. "outlaws, the heroes, the wanderers, the lovers, the saints, the persecuted".
28. "huts give way to villages and then to cities and finally to cosmopolitan academies, [while] the forests move further and further away form the center of the clearings".

(Harrison 245) haciendo que los bosques —de ser un centro arcaico en un pasado remoto— pasen a ser "el borde provincial de la civilización occidental, en un sentido literal e imaginario"[29] (Harrison 247).

Harrison nos hace conscientes de las maneras equívocas en que la historia de Europa ha sido entendida como un fenómeno postforestal. Caldas adapta esta visión para encontrar que la historia en la América tropical debe ser un fenómeno postselvático, con lo cual ata, inextricablemente, civilización y violencia sobre este espacio a un doble nivel: violencia como tala masiva de las selvas y también como borradura de la historia que da forma a esos lugares. Hay algo que excede la simple solución de la eliminación de la selva como paso previo para instaurar la civilización en esos espacios. La selva en la Nueva Granada, y esto Caldas lo sabe bien porque viajó por ella, es un lugar habitado por comunidades que han ejercido y ejercen su particular manera de entender el mundo que las rodea. Consciente de esto, el deseo civilizatorio por exterminar la selva en Caldas se apareja con un deseo por cambiar la composición racial del territorio, lo cual en él se resuelve en homogeneizar/europeizar la cultura. En lo que podríamos llamar un "giro mágico" del pensamiento caldasiano —ese "por encanto" del paso de un país inhabitable a uno habitable—, la eliminación de la selva se ve como un tránsito necesario para cambiar a los hombres que habitan en ella: "Hoy [Francia], poblada, libre de vegetación excesiva, ha mudado de *clima*, de usos, de costumbres y *de hombres*" (Caldas, *Obras* 117; cursivas mías). Exterminar la selva como "país inhabitable", en Caldas, es abolir el presente, crear nuevos hombres (¿blancos?) y entrar en el futuro que, como dice Harrison, "continúa siendo el verdadero legado de la Ilustración"[30] (114).

A pesar de ser vistos ordinariamente como opuestos, el jardín y la selva representan en Caldas paisajes de la corrupción y ocupan en su pensamiento una posición ambivalente —entre el exterminio y el abandono— frente a geografías que requieren de la intervención humana para no convertirse una en la otra, el jardín descuidado en la selva, o la selva intervenida en un jardín. Yo quiero leer en *el jardín según Caldas* la manera de declarar su imposibilidad de controlar la selva.

29. "the provincial edge of Western civilization, in the literal as well as imaginative domains".

30. "Remains Enlightenment's true heritage".

Es decir, al encontrar el jardín como un lugar corrupto —porque contradice en su excesivo cuidado los lineamientos de una vegetación "al natural" que tiene a Dios como el jardinero incontrovertible— Caldas da un paso hacia la irracionalidad del pensamiento religioso como excusa para no enfrentar lo incontrolable, aquello que la tecnología de la deforestación no puede cumplir: la selva como lugar imposible e indeseablemente jardinizable. Al contrariar su vocación científica, Caldas se hace rehén de su formación católica[31] cuando escribe:

> Las plantas de nuestros jardines, podadas, a cubierto de las inclemencias, y con jugos abundantes y substanciosos, también [al igual que los animales domesticados] han corrompido su carácter. La estatura, los colores y las formas, todo se ha variado por la prosperidad y la abundancia. Nuestros claveles, nuestras adormideras, etc., no son a los ojos de un botánico sino monstruos, productos degradados y siervos corrompidos (*Obras* 118-119).

Para Caldas es la religión "que conoce bien nuestras pasiones" y que "nos ordena la abstinencia, el ayuno y la mortificación" (Caldas, *Obras* 118) la misma que nos debe prohibir regar con agua, abono y mantener bajo abrigo las plantas de otros climas que, por serlo, necesitarían de nuestro cuidado. La temperancia y el sacrificio harían de la invención del jardín una herejía. Tal es el argumento religioso de Caldas para proscribir el jardín de su proyecto (*Obras* 118). En tal proscripción quiero ver el reconocimiento de la imposible jardinización de la selva por parte el proyecto civilizatorio. Su abandono como territorio injardinizable llevará a querer su exterminio. El miedo de Caldas a la selva se materializa en un momento irracional de su pensamiento. La falta de control sobre este espacio en función de una narrativa eurocéntrica lleva a igualar abandono y exterminio, como dos caras de la misma moneda.

31. Sobre el conflicto entre su formación religiosa y su vocación científica, Renán Silva escribe: "Para [Caldas] la relación entre teología, ciencia natural e investigación empírica constituyó no solo un objeto de grandes reflexiones, sino también una fuente de profundas angustias morales" (472). Jaime Jaramillo Uribe fue el primero, como en muchos temas sobre el siglo XIX, en notar el constante conflicto entre pensamiento ilustrado y religión católica en Caldas, "un hombre en quien se daban con igual fuerza el amor a la ciencia y la fidelidad a la tradición religiosa en que había sido formado" (Jaramillo Uribe 403).

La imposibilidad del jardín selvático en Caldas cierra la puerta a su inclusión en un posible espacio de lo común y abre la puerta a su incorporación/expulsión a través de la violencia. En *Dialéctica de la Ilustración* Adorno y Horkheimer han develado el proyecto totalitario de los Ilustrados. Argumentan que el impulso del hombre ilustrado tiende a imitar a Dios en tanto todo debe estar bajo su soberanía, al mismo tiempo que el miedo a lo desconocido o a lo incontrolable debe quedar desterrado. A ello se debe el terror de los Ilustrados a ser tragados por la naturaleza: "Nada puede quedar por fuera [del proyecto ilustrado], porque la idea misma del afuera es una fuente de miedo"[32] (Adorno y Horkheimer 16). Al no poder integrar la selva al proyecto civilizatorio, porque tanto el clima como la tecnología no permiten su dominación/disciplinamiento por parte de la civilización, Caldas opta por integrarla a través de su exterminio, argumentando que la selva es el lugar de la amenaza a la preservación del género humano debido a su corrupción. Tal movimiento donde se integra la selva a través de desear su exterminio, prueba que la Ilustración, como la vieron Adorno y Horkheimer, en su momento más radical substituye el conocimiento por la violencia.

32. "Nothing at all may remain outside, because the mere idea of outsideness is the very source of fear".

Capítulo 2

La mirada invernacular: José María Samper, liberalismo y exterminio*

Como muchos de sus contemporáneos Ramón Torres Méndez (1809-1885) pintó el viaje por el río Magdalena. Rechazado por Agustín Codazzi para ser pintor de la Comisión Corográfica (1850-1859), Torres Méndez tuvo sus primeros contactos con el arte gracias a los pintores que sobrevivieron a la Expedición Botánica, en particular a Juan Francisco Mancera (Beatriz González 29). Después de haber declinado oportunidades ofrecidas por extranjeros residentes en Bogotá para educarse en Europa, Torres Méndez decide quedarse en la capital, lo cual no le impidió dibujar escenas de las provincias de Antioquia, Neiva y Cundinamarca, todas ellas con puertos sobre el río Magdalena. *Champán en el río Magdalena* (ver imagen 2) es una litografía suya de 1878 que da testimonio, entre otras cosas, de la pervivencia, proliferante, de la boga —el transporte en bongos y canoas— casi treinta años después de la introducción del vapor de río a comienzos de la década del 1850 (Safford, *El ideal* 91). En esta litografía vemos una mirada contraria a la de los viajeros andinos y extranjeros por el Magdalena. Desde la orilla del río alguien mira el champán pasar. La embarcación

* Partes de este capítulo en versiones anteriores aparecieron bajo los títulos "Tránsitos por el río Magdalena: el boga, el blanco y las contradicciones del liberalismo colombiano en el medio siglo xix", en *Estudios de Literatura Colombiana* (Universidad de Antioquia) 29 (julio-Diciembre 2011): 17-41 y "Los invernáculos de José María Samper: utopías espaciales fuera y dentro del trópico", en *Revista Hispánica Moderna* (Columbia University) 66.1 (junio 2013): 13-27.

aparece atestada de remeros, llamados bogas[1] en la Colombia decimonónica. Once de ellos aparecen sobre el techo de palma y todavía hay
dos más en cada uno de los extremos de la canoa. Todos los bogas están
trabajando sin excepción. El único que no tiene un remo o una vara en
las manos es el cocinero que parece estar soplando o cuidando el fuego
de la cocina improvisada. No sabemos cuántos blancos hay adentro de
la enramada del champán. Sin embargo, tres de ellos, cerca a la salida
de la izquierda de la enramada, conversan despreocupada y cómoda-
mente, exhibiéndose excesivamente vestidos para las altas temperaturas de la región, como si le reprocharan su desnudez a los bogas. El
único hombre de color vestido es el patrón del champán, el jefe de los
bogas, que tiene un remo en la mano y, al igual que los blancos, puede
mirar más allá del trabajo. La distancia entre los tres viajeros y los bogas, a pesar de parecer imposible dado el hacinamiento del champán,
está escenificada en varios niveles, además del indumentario. Primero,
visualmente. Ninguno de los bogas mira a los blancos, ni los blancos
miran a los bogas. La mujer vestida de rosado y el hombre de gorra
azul pueden incluso estar mirando a quien los dibuja. Abstrayéndose
del lugar que dicta la sujeción laboral —el río, la vara, el remo— ellos
son los únicos que pueden contemplar detenidamente el paisaje, confirmando, como sostiene Graciela Montaldo, que "los tipos nacionales
no 'contemplan' la naturaleza porque no son exteriores a ella, son ella
misma" (51). Segundo, laboralmente. Exhibiendo sus manos, los blancos son los únicos que pueden abstraerse del trabajo y disfrutar de la
conversación. Tercero, espacialmente. Como si dictara una moralidad
sexual, Torres Méndez protege/aísla el cuerpo de las mujeres, no solo

---

1. Los bogas fueron remeros asalariados que transportaron mercancías por el río
Magdalena. Conocidos por el nombre de su oficio —la boga— practicaron, durante la
colonia "una encomienda de servicio personal de transporte a favor de los españoles",
introducida a partir del siglo XVI por los conquistadores (Peñas 24). La navegación por
el Magdalena fue primero realizada en canoas tripuladas por indígenas y, luego de que
estos fueran mayoritariamente exterminados por la inclemencia del oficio, la boga fue
asumida por la mano de obra africana masivamente importada hacia finales de ese siglo
y en adelante hasta el siglo XVIII (Fals Borda 45). La canoa indígena devendría, con el
paso de los años y por las necesidades de una práctica que requería de mayor espacio
de transporte, en el *champán* del boga (Noguera 79). La navegación por el Magdalena
estaba bajo su control total antes de la implementación de la navegación a vapor hacia
1851 (Helg, *Liberty* 69; Peñas 82). Ese control fue luego menguando, lentamente, con
la aparición del transporte a vapor, cuya institucionalización se dio en la primera presidencia del general Tomás Cipriano de Mosquera (Safford, *El ideal* 190).

de los bogas, sino del blanco también. En perspectiva, el tronco de una palma de coco se interpone entre los cuerpos de las mujeres y los del boga y el blanco. La altura de la enramada tampoco permite el contacto de los bogas que trabajan sobre el techo.

Atrás, sin embargo, y de manera fantasmagórica, aparece otro champán como si fuera una heterotopía (Foucault, "Of Other Spaces" 24) que deshace a un tiempo la necesidad del paisaje represivo del champán central pero resalta su violenta espacialidad. El de atrás es un champán donde nadie rema, a la deriva, sin olas que lo detengan, donde hombres ociosos ocupan cualquier lugar de la embarcación: parados sin remar, arriba del champán, sentados en el piso o acostados sobre la enramada, todos aparecen vestidos. Torres Méndez dibuja el envés del champán neocolonial[2], un espacio que no persigue ningún destino determinado —hombres reman en direcciones opuestas— como si no quisieran transitar hacia ninguna parte y se obstinaran en no llegar al futuro.

En esta litografía hay una verdad que los viajeros cosmopolitas eluden: es el trabajo de los bogas lo que permite que ellos entiendan su escritura como trabajo[3]. Al igual que muchos viajeros de su época, el escritor y político colombiano José María Samper (1828-1881) encuentra que su viaje a Europa, pasando por el Magdalena, no es de ocio, sino de trabajo. Samper viaja *por* Colombia, a un tiempo espacial y moralmente. Su viaje es trabajo: "Viajo *por* mi patria, es decir, con

2. Entiendo por neocolonialidad la imposibilidad de relacionarse con el sistema de valores de la metrópolis sino a partir de una gramática que se define como carente frente a ella [la metrópolis] y que no puede ver más allá de la carencia otra forma de construir valores propios. Coincido con Pratt cuando escribe: "ser moderno es suscribir los valores de la metrópolis y querer llevarlos a la práctica. Ser neocolonial es no poder hacerlo y sin embargo ser inhábil para salir de ese sistema de valores y adoptar un nuevo plan" ["to be modern is to subscribe to the values of the metropole and seek to fulfill them. To be neocolonial is to unable to do so, yet unable to exit the system and chart a separate course"] (296).

3. Samper y muchos de los viajeros que siguen su mismo recorrido nunca representan una verdad que es evidente: los bogas no solamente son viajeros también, sino que hacen posible su viaje. Entre muchos otros, James Clifford lo pone en estos términos: "así como los europeos [o en nuestro caso blancos andinos] se movían por espacios extraños, su relativo confort y seguridad estaban aseguradas por una muy buena infraestructura compuesta por guías, asistentes, proveedores traductores y arrieros" ["As Europeans moved through unfamiliar places, their relative comfort and safety were ensured by a well-developed infrastructure of guides, assistants, suppliers, translators and carriers"] (34).

el solo fin de serle útil, y escribo para mis compatriotas y hermanos los Hispano-Colombianos" (*Viajes* tomo II, 2; cursiva en el original).

¿Qué implica imaginar la naturaleza —y específicamente el clima— como una potencia que divide la nación en espacios del ocio y espacios de trabajo, en personas ociosas y en personas trabajadoras? ¿A qué racionalidad económica y a qué imaginación política corresponde esta segmentación? ¿A quiénes conviene y por qué? ¿Qué tipos de espacio produce? ¿Qué representaciones desean naturalizar estas divisiones y cuáles son sus consecuencias sobre las personas, de diferentes "razas" y en diferentes climas, que habitan el territorio de la nación? Estas son algunas de las preguntas que me surgen de una lectura de las consecuencias de la introducción de liberalismo del *laissez faire* a mediados del siglo XIX sobre la imaginación espacial del territorio nacional y de sus gentes. A ellas pretendo dar respuesta en este capítulo.

Para explorar la imaginación espacial del liberalismo colombiano de medio siglo, analizaré los escritos del político y escritor José María Samper en su primera etapa política como liberal radical; posición de la cual abominaría hacia finales de la década de los sesenta convirtiéndose al catolicismo para militar, durante sus últimos años, en el conservatismo colombiano[4] (Sierra 72). Uno de los escritores más prolíficos de su generación, Samper trabajó sobre el mapa caldasiano pasándolo por nuevas teorías racialistas europeas, especialmente las de Gobineau[5] (Urueña 5; D'Allemand 15), pero también adecuándolo a la imaginación espacial del proyecto liberalizador de las élites librecambistas. Dado el enorme tamaño de su obra escrita, me limitaré a

4. Fundamental a la hora de acercarse con profundidad a la obra, sobre todo novelística, de Samper, es el reciente estudio de Patricia D'Allemand, *José María Samper: nación y cultura en el siglo XIX colombiano*. En él traza el correlato estético de los cambios sufridos por el pensamiento civilizatorio de Samper desde su etapa radical hasta su afiliación a la Regeneración conservadora de finales del siglo XIX.

5. Historiadores clásicos colombianos como Jaime Jaramillo Uribe en su canónico *El pensamiento colombiano en el siglo XIX* mencionan con frecuencia la influencia del conde Arthur de Gobineau con su *Essai sur l'inégalité des races humaines* (1853) sobre José María Samper (Jaramillo Uribe 70) y el pensamiento racial del siglo XIX. Más recientemente, Patricia D'Allemand ha demostrado cómo para Gobineau cualquier mezcla racial era degenerativa con lo cual el blanqueamiento era imposible, una tesis inasimilable para el pensamiento mestizador. Para Samper, por el contrario, "el mestizo tiene en buena medida un valor compensatorio: lejos de constituir un ideal, es el mal menor cuando se lo compara con las razas que califica de 'envilecidas por la tiranía [colonial]'" ("Quimeras" 15).

analizar su imaginación espacial del territorio nacional en los textos de su primer viaje europeo (1858-1862), principalmente en *Viajes de un colombiano en Europa*[6] (1862), en cuanto este texto da cuenta de su experiencia como viajero en tránsito por el Magdalena en su vía a Europa. También quiero acercarme a la manera en que Samper se concebía a sí mismo como viajero frente a otro viajero, este profesional, como lo era el boga del Magdalena, invisibilizado o ultravisibilizado en su cuerpo y prácticas por quienes, como Samper, tenían necesariamente que emplear sus servicios para ir a Europa o volver de ella.

En los textos de José María Samper se puede ver la manera en que, gracias a la introducción de las reformas liberales de medio siglo (la liberalización del estanco del tabaco, la abolición de la esclavitud, la institucionalización del vapor y la migración del altiplano andino a los valles y riberas del Alto Magdalena, entre otras), se ampliará la frontera agrícola creándose nuevos límites/lugares y nuevas identidades, unas supuestamente apropiadas para el comercio capitalista y otras refractarios a él. Samper representará la división entre el Bajo y el Alto Magdalena como límite de la historia de la civilización europea en el trópico, redefiniendo el mapa caldasiano, capturando un doble momento de la cultura nacional: la expansión de la frontera agrícola por efecto del *boom* del tabaco y la violencia representacional con la que se representan aquellos que no comulgan —o tienen diferentes maneras de hacerlo— con las lógicas de la expansión de la frontera agrícola.

Para la imaginación espacial de las élites liberales, el capitalismo como mercado de necesidades que incentiva el intercambio se ve confrontado por la feracidad de las tierras tropicales como un escollo para integrar a sus habitantes en el mercado internacional. Entonces, la civilización en el trópico será para los jóvenes liberales colombianos como Samper un discurso para propagar la imagen de una naturaleza supremamente abundante que se representa, paradójicamente, como proliferantemente carente de inmigración (blanca), de transportes (modernos), de cultura (europea), de consumo y de comercio (con Europa). A su vez, como veremos, para los viajeros liberales los cuerpos racializados —en nuestro caso los de los zambos riberanos del Magdalena,

---

6. La primera parte de sus *Viajes*, titulada "De Honda a Cartagena", fue publicada primero en la revista bogotana *El Mosaico* en 1859 y en el diario *El Comercio* de Lima durante el mismo año.

los bogas— no tienen conciencia alguna de la carencia y, por eso, no pueden ser integrados al comercio internacional, por lo cual son vistos como cuerpos amenazantes para el cumplimiento de fantasías como el mestizaje entendido como blanqueamiento.

Los hombres del 48

"Branco, venga y pruebe er cardo er boga, que le prometo que no le hará daño la comida der pobre" (Madiedo 13). Así se refieren, en el cuadro costumbrista "El boga del Magdalena" del escritor Manuel María Madiedo, las identidades de quien transporta y de quien es transportado. En una nueva rendición del capital simbólico de Bourdieu, el zambo no cuenta con ningún prestigio que lo legitime frente a otros como generador de riquezas futuras dentro la sociedad poscolonial (Bourdieu 75). Su capital es su trabajo inmediato, de tal manera que la boga constituye su identificación, nombrándolo. Él *es* su trabajo, y mientras lo realiza la boga lo nombra. El blanco, por su parte, exhibe su capital cultural como una marca que precede a la relación comercial, no se compra ni se vende, es inmanente: es su color de piel. Sin embargo, ese capital cultural de "blancura" es también una marca de distinción meticulosamente construida e historizable.

José María Samper es uno de "los hombres del 48" (Colmenares), la primera generación nacida durante la República y con acceso a las universidades. Mayoritariamente su generación hacía parte de familias sin genealogías ligadas a las glorias militares de la independencia, ni contaban tampoco con fortunas heredadas de viejas familias aristocráticas. Representaba, por el contrario, una naciente burguesía en proceso de consolidación. De acuerdo con Germán Colmenares, en Colombia "el liberalismo [estaría] en el origen de la conciencia de clase. Es la ideología de la clase emergente de los comerciantes jóvenes, la segunda generación de republicanos" (37). Muchos de ellos eran de provincia, en varios casos sus padres habían ostentado cargos políticos a nivel local, recibieron educación secundaria y universitaria en centros urbanos mayores como Bogotá o Popayán (Delpar 48). Casos como el de los hermanos Miguel y José María Samper, nacidos en Honda, ilustran el origen y composición de la juventud liberal de entonces: "naturales de la región del Alto Magdalena e hijos de un comerciante y agricultor

—ellos mismos comerciantes y abogados— eran representantes típicos de esta generación [del 48] y encarnaban ejemplarmente a la burguesía de comerciantes que se consolidaba y distanciaba de la oligarquía de los terratenientes" (Konig 441). Gracias a las reformas liberales implementadas por Tomás Cipriano de Mosquera a finales del decenio del cuarenta, Samper fue miembro principal de la élite exportadora que amasó un importante capital y poder durante el corto pero intenso *boom* de la exportación de tabaco que se dio entre 1845-1855 (Guillén Martínez 304). De estos hombres del 48 se puede decir lo mismo que escribió David Viñas sobre Manuel Belgrano y la generación del 37 en Argentina: "son burgueses defraudados o irritados por la ineficaz administración de los bienes burgueses que detentaban otros hombres de su clase" (Viñas, *Literatura* 11). Como en ninguno de sus contemporáneos, en José María Samper es posible ver la contradicción inherente al liberalismo en el trópico: deseo de una espacialidad liberal pero pervivencia de relaciones sociales coloniales en un medio tropical cuya abundancia, al tiempo que promete riquezas, no permite disciplinar a los campesinos convirtiéndolos en peones, pues la naturaleza les ofrece la comida en una economía de pan coger.

Debido a la vuelta de los conservadores al poder en 1858 con Mariano Ospina Rodríguez a la cabeza (1857-1861), Samper aprovecha para viajar por primera vez a Europa con fondos propios acumulados en el *boom* del tabaco. En el trayecto bajando por el río Magdalena, de Honda a Cartagena, Samper escribe el espacio que media entre dos fronteras de un mismo territorio, una exterior, la otra interior, entre un pasado excivilizado —las ruinas de Cartagena y de Honda— y un espacio sin tiempo, el Bajo Magdalena. Cartagena es la frontera natural que da al mar y que es, materialmente, los extramuros de la República. Por su parte, Honda es esa otra ciudad-frontera de su relato, pero es un puerto que da sobre un mar metafórico: el territorio de lo salvaje, que marca un límite no solamente interior, sino sobre lo inferior. El descenso[7] de Samper al Bajo Magdalena es casi traducido en una escri-

---

7. Michael Taussig, Peter Wade y Margarita Serje coinciden en que este mapa traza una "moralized, sexualized Dantean topography of goingdown and in to the bosom of solitude, treasure and wildness" [una moralizada, sexualizada topografía dantesca en la que se desciende al fondo de la soledad, de la riqueza y de lo salvaje] (Taussig, *Shamanism* 76). Un trayecto que según Taussig y Margarita Serje tiene connotaciones religiosas relacionadas con la idea de la creación en el medioevo, que se trabajan nuevamente en el

tura del pánico. La tierra que se interpone entre los Andes y Europa no se describe directamente sino por intermedio del río que la cruza. Es la calidad, formas y trayectos que toma el río lo que le dan, no una especialidad a la tierra del bajo Magdalena, sino una temporalidad detenida, y una materialidad calenturienta:

> El río, como para revelar mejor el carácter salvaje de la región que le rodea, se hace más perezoso en su marcha y lejos de profundizar su cauce, se bifurca en multitud de brazos, se ensancha a veces como un pequeño mar interior [...] levanta [el río] en su camino un enjambre de islotes pintorescos; y haciéndose mas ingrato por la abundancia de sus insectos venenosos, la ferocidad de sus terribles caimanes, la ardentía de sus playas calcinadas por un sol devorador, y la absoluta soledad e sus vueltas y revueltas, sus ciénagas y barrancos de salvaje tristeza... ("De Honda a Cartagena" 384).

Aquí Samper no describe la tierra del Bajo Magdalena sino el río que lo lleva a través de ella. El viajero, paradójicamente, no relata el viaje, sino el miedo a que ese viaje sea interrumpido. Es la amenaza de perderse, naufragar o ser devorado por los animales que habitan esos lugares lo que obsesiona a Samper. La tierra del bajo Magdalena está, en ese punto, tan absolutamente obliterada del relato que ni siquiera ocupa el lugar del paisaje. No se extiende más allá de las playas donde aparecen "los terribles caimanes" y "los insectos venenosos". Es como si Samper, por no ver la tierra que bordea el río, no le diera horizonte a su mirada sino que, nerviosamente, describiera lo inmediato, el agua y la playa, con premura, como queriendo salir de ahí rápidamente. Pero es el río el que conspira en contra de sus ansias de escape. El río "se bifurca en multitud de brazos" presagiando una posible perdida de curso, "se ensancha a veces como un pequeño mar interior" convirtiéndose en un espacio donde un naufragio puede ser posible. El "enjambre de islotes pintorescos" se constituye, a pesar del adjetivo, como el único espacio de tierra (semi)firme que Samper se atreve a

---

Renacimiento y se extienden incluso hasta el siglo xix (Serje, *El revés* 70). De acuerdo con esta espacialidad religiosa "que da lugar al orden topográfico de la Creación", el paraíso se encuentra en una región montañosa bajando de la cual, luego de cruzar llanuras pestilentes, estaba el infierno, "el lugar de Satán y los ángeles caídos, el mundo del pecado, el lugar de la corrupción de la carne" (70).

describir en esta primera rendición del Bajo Magdalena. El naufragio como una posibilidad factible, pero innombrada o innombrable, queda a su vez acallada por la imposibilidad de sobrevivir en "la ardentía de sus playas [del Bajo Magdalena] calcinadas por un sol devorador".

El descenso al salvajismo, Samper lo construye a partir de su particular refracción del mapa caldasiano, el cual le permite imaginar que más arriba, al norte de Honda queda la civilización del Alto Magdalena, y más abajo queda el salvajismo del Bajo Magdalena:

> La ciudad de Honda es el límite o centro de dos regiones enteramente distintas: hacia el sur y el oriente las admirables comarcas del alto Magdalena; hacia el norte las soledades infinitas, los desiertos ardientes y la monótona uniformidad del bajo Magdalena. Arriba la más espléndida región de la Colombia meridional; un panorama infinitamente variado de llanuras y colinas, de selvas y montañas, [...] enriquecida por una población activa, numerosa y bastante civilizada ("De Honda a Cartagena" 384).

No solamente el clima es distinto entre el Alto y el Bajo Magdalena, sino que su gente, como quiere hacernos ver Samper, es totalmente diferente: "conviene hacer notar, de paso, una diferencia curiosa entre la población de los dos valles del Magdalena, alto y bajo, de proporciones muy distintas. Los zambos, que son tan numerosos en el valle inferior faltan casi absolutamente en el superior" ("La Confederación Granadina" 323). Los bogas no pueden ocupar el mismo espacio de Samper, no pueden hacer parte del Alto Magdalena, a pesar de estar conectados con ella a través de un río, como el Magdalena, cuyo comercio no podía solamente restringirse a bienes, sino a personas, desde luego. Esto es más dramático si pensamos que Samper era oriundo de Honda, ciudad-puerto de la mayor importancia, en la que debía ser muy frecuente ver bogas.

A pesar de que el viaje de Samper a Europa comienza en un champán en Honda, luego sigue en un vapor, continúa en un bote y termina en un buque transatlántico, la primera aparición del boga en el relato de Samper se pospone hasta que Samper ocupa su lugar en el vapor. El boga es reemplazado, primero, por la personalización del champán y luego por el accionar de los remos. El esfuerzo físico del boga —tan llamativo para el viajero en la abrumadora mayoría de los relatos— es manifiestamente ignorado por Samper: "El champán se apartó de la playa, los remos se agitaron al compás de los gritos salvajes de los bogas" ("De Honda a Cartagena" 385). El cuerpo del boga desaparece en tanto es el champán el que "se aparta" y los remos los que "se agitan". Samper se niega a ver el cuerpo de quien lo conduce, apartando, como de la tierra firme sobre el río, los ojos del boga, solamente oyendo de soslayo "los gritos salvajes de los bogas" que anuncian, como una introducción sonora, incomprensible, inorganizable (Ochoa 3), el paisaje del Bajo Magdalena marcado por el "torcimiento" del río que es más que un cambio de curso ordinario. Esa torcedura es un desquiciamiento del espacio-tiempo frente a los paisajes de la altura andina: "pocos minutos después, *al torcer su curso* el Magdalena por entre *monstruosos* peñascales, se perdieron de vista los últimos penachos de los cocoteros que indicaban el sitio de la Bodega [en Honda]. El hombre desapareció para ceder el campo exclusivamente a la vegetación" ("De Honda a Cartagena" 385; cursivas mías). La operación astigmática según la cual se oblitera lo próximo para solamente hablar de lo lejano, señalará una particular característica del relato de Samper: rehuir el contacto físico con el boga, marcar una distancia, extrañarse de él. Él siempre estará lejos del sujeto que permite su escritura —el boga que lo transporta por el río— y lo pone a salvaguarda de la selva que contempla y teme.

La naturaleza es puro espectáculo visual que él desea que nunca lo amenace corporalmente. Por eso siempre habla de "el paisaje, visto de lejos, no podía ser más primoroso" ("De Honda a Cartagena" 386) o de "islas mediterráneas si no fuera por el calor y las plagas" (*Viajes* tomo I 17). En Samper el paisaje es primoroso, precisamente, porque está visto de lejos. Frecuentemente, decide personalizar el ojo mismo en desmedro del resto del cuerpo (por no sentirlo). Al notar que los Andes finalmente han desaparecido, escribe: "Después las serranías desaparecen, las selvas forman horizonte, y el ojo del viajero, fatigado y triste, no ve más que el desierto interminable" ("De Honda a Cartagena" 385). El desierto está en el ojo que lo ve, pues, contradictoriamente, Samper habla de la exuberancia de la vegetación en la que viven esos "pobres agricultores del desierto" ("De Honda a Cartagena" 386), porque, como señala Carolina Alzate, "el desierto [en el siglo xix] es lugar de soledades inabarcables y resistentes a la civilización elaboradas a partir de la construcción de Oriente. Por eso hay 'desiertos' extensísimos en las selvas que bordean el Magdalena, de Honda hacia abajo en los relatos de José María Samper" ("Modos" 130). Palacio Castañeda, por su parte, sostiene que "las grandes extensiones de zonas de fronte-ra en Colombia fueron construida ideológicamente como 'desiertos', territorios desocupados, 'baldíos' sin propietarios" (62); con lo cual se cumple la operación, de viejo cuño, de desocupar a nivel discursivo un territorio habitado para ejercer sin cortapisas absoluta dominación sobre él (Rodríguez 165).

Fuera de la embarcación del boga y ya embarcado en el vapor Samper describirá finalmente el champán, marcando distancia y creando un espacio de la diferenciación. Así puede "ver de lejos" a los bogas, a quienes, cuando los tenía incómodamente cerca, demasiado próximos, no podía sino esquivar en su relato. Una vez en el vapor —dicientemente llamado *Bogotá*— la distancia la marca, asépticamente, el *allá* de los bogas y sus champanes y el *acá* del vapor y los viajeros cosmopolitas. Como si la distancia también lo salvaguardara de que los bogas oyeran sus insultos, Samper escribe "contra sí mismo estas palabras antológica" como diría Carlos Jáuregui ("Candelario" 573):

Allá el hombre primitivo, tosco, brutal, indolente, semi-salvaje y retosta-do por el sol tropical, es decir, el *boga colombiano*, con toda su insolencia, con su fanatismo estúpido, su cobarde petulancia, su indolencia increíble y su cinismo de lenguaje, hijo más bien de la ignorancia que de la corrup-ción; y *más acá* el europeo, activo, inteligente, blanco y elegante, muchas veces rubio, con su mirada penetrante y poética, su lenguaje vibrante y rápido ("De Honda a Cartagena" 386-387; cursivas mías).

La nacionalización del boga aquí es precaria. A pesar de calificarlo con el adjetivo de "colombiano", esto, lejos de ser una operación nacionalizadora, es, en el caso particular del texto de Samper, una operación de alejamiento. Recordemos que, tanto en los textos de *Ensayo sobre las revoluciones políticas*[8] (1861) como en *Viajes de un colombiano en Europa* (1862), Colombia[9] o colombiano es un significante que para Samper quiere decir Hispanoamérica o hispanoamericano (Samper,

---

8. Este ensayo fue escrito por entregas para la revista afincada en Londres y fundada por un chileno y dos españoles llamada, significativamente, *El Español de Ambos Mundos* (D'Allemand, "Quimeras" 2).

9. Incluso desde *Apuntamientos para la historia...* (1853), Samper abre su texto con una nota de pie aclaratoria donde escribe: "Damos aquí, i seguiremos dando el nombre jenuino de Colombia, a toda la América del Sur" (8). Esta fue una respuesta política de las excolonias españolas a la apropiación del nombre América por los estadounidenses.

Ensayo VI). De tal manera que Samper se llama a sí mismo granadino en el texto y no colombiano, porque entonces el territorio que es hoy Colombia se llamaba Confederación Granadina (1858-1863). Así, antes que una operación de acercamiento, el adjetivo "colombiano"[10] abstrae al boga del contexto, alejándolo de Samper, y excluyéndolo parcialmente de la comunidad imaginada de la nación.

La distancia moral entre los dos grupos se corresponde con la distancia histórica que separa al champán del vapor, en términos de la ideología liberal para la cual la concepción teleológica de la historia es otro de sus axiomas (González Stephan, *La historiografía* 198). Avanzar moralmente, para Samper, es acercarse a la civilización, pero en un movimiento de despersonalización donde quien ve no tiene cuerpo y quien es visto —el boga en este caso— es puro cuerpo proliferante, sin idioma mas que gritos, sin ropa más que el taparrabos. El hombre civilizado es pura mirada, el salvaje es puro cuerpo, incesantemente escrutado, sin habla, sin vista, sin oído, sin olfato, pero con piel (no para los mosquitos, pero sí para ostentar la diferencia). Por eso la choza y el champán son salvajes porque dejan ver a quien lo habita. El vapor, en cambio, no: oculta a Samper en su camarote y en ese sentido es el perfecto espacio para ver sin ser visto.

Así describe Samper el champán, finalmente, después de haberse separado de él. Al igual que hizo con el boga, espera a ocupar un lugar de asepsia que es el vapor como espacio heterotópico, lugar privilegiado de la civilización, para evaluar el champán que antes se negó a describir, deshabitándolo. Para Samper, solamente desde la civilización se puede hablar de lo salvaje sin temer su influjo:

> De un lado el pesado champán, barca toldada de palmas secas, de 20 a 50 metros de longitud y dos o tres de anchura, especie de choza flotante, y montada por multitud de bogas que gritan atrozmente y parecen una legión de salvajes del desierto; o bien la miserable ramada indígena expuesta a la cólera de los vientos, las invasiones de los reptiles [...] abrigando familias de salvaje fisonomía, fruto del cruzamiento de dos o tres razas diferentes ("De Honda a Cartagena" 387).

10. Colombiano también podría querer decir, en tiempos de la Nueva Granada o de la Confederación Granadina, que juntas suman poco más de los primeros treinta años de la República, alguien nacido durante la Gran Colombia de Bolívar (Gordillo Restrepo 237).

Los lugares y los habitantes de "lo salvaje" son informes, "dan amparo a una vida en transición más cerca de la barbarie que del progreso", no cuentan con identidades o formas definidas ("De Honda a Cartagena" 387). Los significados son provisorios tanto como los significantes. Para Samper el champán es "una especie de canoa", los bogas "parecen una legión de salvajes del desierto", las ramadas están prestas a ser invadidas por reptiles o tumbadas por los vientos. Son espacios en (de)formación que exponen su carencia, paradójicamente, en paisajes de abundancia donde hay "por todas partes lujo y exuberancia de vegetación" ("De Honda a Cartagena" 385). En contraste con estas personas y lugares, Samper erige el vapor como espacio que oculta a quien lo tripula como una fortaleza inexpugnable que levanta, fálicamente, "la chimenea, el pabellón y los mástiles [...] del vapor *Bogotá* para protestar contra la barbarie, y probar que aún en medio de las soledades y del misterio sublime de una naturaleza imponderable por su fuerza, el *hombre* va a fundar su soberanía universal" ("De Honda a Cartagena" 387; cursivas mías). Despojando al boga del apelativo de "hombre", Samper otra vez, como el "gran ideólogo del viaje" (Frédéric Martínez 354) que es, pedagógicamente contrapone el cocotero como alegoría de la colonia, con el vapor: "El cocotero, sembrado desde el tiempo de la colonia, seguía vegetando; pero el vapor, hijo de la República e instrumento de la libertad, venía a envolverlo entre sus cortinas de humo saludándole con los silbidos de la locomotiva" ("De Honda a Cartagena" 387). El tránsito continúa, el vapor avanza, el cocotero permanece, escindiendo la cultura de la naturaleza.

La mirada separada del contexto —el ojo de Samper que oblitera su cuerpo— también separa al boga de su espacio. En medio de una geografía representada como "exuberante", el boga es, sin embargo, el cuerpo de la carencia. El resultado de la escisión del hombre de su espacio se explica en términos de producción: el boga no sabe explotar lo que lo rodea. Su vida es puro ocio para Samper, no-negocio, a pesar de que, como lo anotan inclusive muchos otros viajeros, no hay posiblemente trabajo más penoso que el de la boga. Samper escribe:

Nacido [el boga] bajo un sol abrasador; en un terreno húmedo, inmenso y solitario, y contando con una naturaleza exuberante que lo da todo con profusión y en balde, y que exagerando el desarrollo físico de los órganos, debilita sus funciones y degrada su parte moral; el boga, descendiente de

África, e hijo del cruzamiento de razas envilecidas por la tiranía no tiene casi de la humanidad sino la forma exterior y las necesidades y fuerzas primitivas ("De Honda a Cartagena" 403).

Como la prueba viviente del hombre arruinado por el clima, la parte interior del boga, sus facultades morales y sensitivas, están corrompidas, mientras subsiste como humana, simplemente, la parte exterior que Samper puede ver, desde lejos, y verificar como semejante. Como lo han notado Jáuregui ("Candelario" 570) y Ochoa (4), todo aquello que produce el boga es testimonio de la carencia: "el boga del bajo Magdalena no es más que un bruto que habla un malísimo lenguaje, siempre impúdico, carnal, insolente, ladrón y cobarde" ("De Honda a Cartagena" 403). Hay un déficit de habla, de inteligencia, de propiedad, de moralidad y de coraje. Una negatividad desde la cual se constituye y se revalida el propio Samper. Hay también un déficit en los bogas que Samper presume al punto de no nombrarlo: carencia de visión y de lectura.

Los insultos racistas de Samper —parecidos pero nunca igualados por sus contertulios de la revista *El Mosaico*[11] (1858-1872)— fueron publicados en el primer tomo de *Viajes de un colombiano en Europa* (1862) y luego reeditado, como narración aparte, titulada "De Honda a Cartagena", en la compilación costumbristas que José Joaquín Borda, antiguo editor y colaboradora asiduo de *El Mosaico*, hiciera en su libro *Cuadros de costumbre y descripciones locales de Colombia* de 1878[12]. Sus contertulios tanto conservadores como liberales, reunidos

11. Tal vez la revista literaria más importante del siglo xix, *El Mosaico* congregó en torno a sus páginas el que ha sido llamado por Andrés Gordillo Restrepo: "un frente cultural", un grupo de escritores tanto liberales como conservadores que se propusieron inventar una literatura nacional. Julio Arias Vanegas es quien mejor ha analizado los tipos nacionales construidos y administrados desde la literatura costumbrista de la época —preferiblemente en la revista literaria *El Mosaico*— en su *Nación y diferencia en el siglo xix colombiano. Orden nacional, racialismo y taxonomía poblacionales* (2006). Arias Vanegas sostiene que en revistas elitistas como *El Mosaico* se inventó el pueblo pero también sus márgenes, como requisito *sine qua non* para construir lo propio de la élite y delimitar la diferencia.

12. "De Honda a Cartagena" sería reeditado por la Biblioteca del Banco Popular en 1973, bajo la dirección de Luis Carlos Adames, como parte del *Museo de cuadros de costumbres, viajes y variedades*. Esta compilación, en cuatro tomos, es producto en realidad de dos compilaciones costumbristas decimonónicas: del *Museo de cuadros de costumbres, viajes y variedades*, original de 1866 y editado por José María Vergara y Vergara y también de la compilación, dirigida por José Joaquín Borda, *Cuadros de costumbres y descripciones locales de Colombia* de 1878. La editorial del Banco Popular, sin

en torno al simulacro de tolerancia que fue el periódico *El Mosaico*, ni siquiera se les ocurría que un boga o siquiera un mulato pudiera leer u oír leer los relatos que sobre ellos[13] se publicaban en las revistas dirigidas por Borda y para las cuales colaboraban escritores como Samper.

En efecto, para Samper no es una posibilidad que el boga pueda mirarlo a él. La mirada del blanco y el boga solo se encuentran, o fantasean encontrarse en Samper, en una escena que suplanta el contrato mercantil y que es su imposibilidad: el crimen a mano armada. Cuando Samper escribe sobre "el zambo en viaje", precisamente, al igual que otros liberales, representa al zambo detenido que es igual que representar al zambo como no-viajero con tal de no igualarlo al viajero cosmopolita. Con ironía apunta:

> El zambo en viaje es un ser singular en punto a honradez y formalidad. Donde se le antoja detenerse, salta a tierra y dice : —"*Branco*, de aquí no *pasamo* hoy!" ¿Os irritáis? es inútil. ¿Apeláis a la amenaza? Os servirá según como la apoyéis: si mostráis un sable, estáis perdido, porque el zambo, aunque cobarde, maneja admirablemente el machete; pero si mostráis una arma de fuego, la cosa es diferente, —el zambo tiembla al ver el cañón y la pólvora. Lo mejor es resignarse a darles una de aguardiente de anís, soportarles sus insolencias y hacerles seguir por las buenas [...] la probidad del zambo se detiene donde comienzan las tentaciones de la gula o de la intemperancia (Samper, *Ensayo* 97; cursivas en el original).

La tolerancia frente al robo, a pesar de ser un atentado contra la propiedad, no se decodifica como una amenaza real a los supuestos del sistema. Los bogas no roban para multiplicar, para negociar, para vender, sino para consumir. Según Samper —al igual que para otros

---

solución de continuidad, integra ambas antologías sin dar explicaciones de por qué lo hace ni bajo qué criterios saca ciertos cuadros (que incluiría en colecciones particulares de cada autor). El texto de "De Honda a Cartagena", de Samper, fue reeditado, no en la compilación de Vergara como se cree normalmente, sino en la de Borda.

13. En *El Mosaico*, al menos, se publicaron cuatro cuadros de costumbres que tenían por protagonistas a los bogas: "Seis horas en un champán" de José Joaquín Borda, de "El boga del Magdalena" de Manuel María Madiedo y "Navegación por el Chocó" de Santiago Pérez. El relato de Rufino Cuervo Barreto, "El boga", fue reeditado en *El Mosaico* pero ya había sido publicado en 1840. Para un muy completo análisis de la figura del boga en la literatura colombiana decimonónica consultar: *Esclavos, negros libres y bogas en la literatura del siglo XIX*, de María Camila Nieto y María Riaño.

viajeros nacionales, cuya visión sobre los bogas era muy distinta de la de los extranjeros[14] — el boga no consume lo que roba para sobrevivir, sino para satisfacer la gula y las ansias de alcohol. El boga no es un agente de acumulación y distribución, su cuerpo es visto como un hueco negro para el intercambio de bienes que debido a esto se ultracorporaliza.

A tal punto se corporaliza el boga que anula la neutralidad física del intercambio. En el champán y a merced del boga, las convenciones del mercado liberal se suspenden: la violencia —la amenaza de muerte del blanco al zambo, no con el machete (más corporal), sino con la pistola— es una posibilidad que deshace la pretendida despersonalización de las relaciones a partir del intercambio de bienes, pero no de cuerpos. En el duelo irregular a mano armado, en el cual uno de los dos está inerme, se lleva al extremo la desigualdad del liberalismo de Samper: el boga no es un sujeto contractual libre. Lo que falta en esa relación asimétrica entre el boga y el blanco es precisamente libertad. Esa contradicción del liberalismo, donde una normativa relación horizontal se suspende, tiene un nombre y es la violencia. El exceso de la violencia sobre los cuerpos descubre una carencia: el liberalismo colombiano no tiene otros medios para cooptar cuerpos no privilegiados por su discurso —en este caso, el del boga— que su contradicción performativa: el hostigamiento armado como marca de superioridad que es rastro espectral, a su vez, del régimen de relaciones coloniales.

¿Movimiento sin movimiento?

A bordo del vapor *Bogotá*, Samper está rodeado de su comunidad imaginada de afectos, europeos y criollos colombianos, con quienes canta "ya la Marsellesa, ese himno sublime de guerra y libertad, ya el *God save the Queen*, de los ingleses, ya las canciones más o menos

---

14. De forma diciente, a diferencia de los viajeros colombianos, el italiano Codazzi sí resalta las habilidades comerciales de los bogas: "[los bogas] son amigos del tráfico y del comercio, al cual se dedican enteramente por las ventajas que obtiene del puerto de Cartagena y de la navegación del gran río Magdalena" ("Bajo una cabaña" 222). Antes que él, Humboldt los vio como hombres libres, de vida "errante y vagabunda" (*Breviario* 147) como los marinos y, como ellos, "a veces muy altivos, indómitos y alegres" (*Breviario* 148). Estas dos miradas, imposibles de rastrear en la vasta mayoría de viajeros nacionales, cosmopolotizan al boga.

populares de la Nueva Granada, de Alemania y de Irlanda"[15] ("De Honda a Cartagena" 388). Al silencio subsecuente a estas canciones y frente a la aldea de Regidor en el Bajo Magdalena, los viajeros escuchan de pronto los tambores en la noche, las flautas y las gaitas que suenan en tierra firme y deciden desembarcar para presenciar el baile del *currulao*[16]. En tierra, Samper se posiciona como espectador del baile, pura visión sin cuerpo, fuera del centro compartido, indistintamente, por músicos y bailarines, hombres y mujeres racializados como mulatos y zambos. A las mujeres (seguramente blancas) de los viajeros hombres que desembarcan se les ha prohibido presenciar el espectáculo porque sus "ojos no eran adecuados para ver esa danza extravagante" ("De Honda a Cartagena" 410). Samper encuentra que el espectáculo es de una "voluptuosidad, una lubricidad cínica cuya descripción ni quiero ni debo hacer" ("De Honda a Cartagena" 402); pero al mismo tiempo le parece que los bailarines "impasibles en su fisonomías, indiferentes a todo, bailaban y daban vueltas con la mecánica uniformidad de la rueda de una máquina" ("De Honda a Cartagena" 402). La distancia entre lo que siente y lo que debería sentir, Samper lo proyecta en el espectáculo que ve, deseando no desear esos cuerpos que bailan alrededor de una fogata al compás de la música. La represión del deseo se cifra en reconocer, tal vez por primera vez y única vez en su prolífica obra, que no puede expresar con palabras lo que ve y, en efecto, lo expresa con una gramática incorrecta, llena de frases subordinadas que no resuelven la principal y que traducen su desazón a lo inefable, a ese silencio que frente a la elocuencia del negro (verbal y física) el blanco se ve obligado a soportar: "Difícil, muy difícil, sería la descripción de esas fisonomías toscas y uniformes, de esas figuras que parecían sombras o fantasmas de un delirio, cuando se movían, o troncos de un bosque devorado

---

15. Para Samper el bambuco —música andina— era el "himno" de Colombia que reunía sin conflictos todas las razas: "es el himno del amor con todas sus manifestaciones: es al mismo tiempo música poesía, canta y baile, resumen de todas las alegrías de la juventud: es la obra múltiple del indio nativo y puro, del negro originario del Congo, del mulato Americano, del patriota llanero, del mestizo de nuestros valles, y del cachaco elegante, descendiente del español conquistador" (Samper, "El bambuco" 113)

16. Convertida ya en un pequeño clásico para la etnografía musical colombiana, esta escena, no obstante, continúa generando mucho debate. Ana María Ochoa ha notado cómo en esta escena no es claro si lo que se bailaba era propiamente un *currulao*, lo cual ha sido discutido por varios musicólogos que han analizado este episodio (4-10).

por las llamas, ennegrecidos y ásperos, si permanecían inmóviles"
("De Honda a Cartagena" 404). La prohibición del deseo suyo y de
los otros (el de su mujer, la intelectual Soledad Acosta de Samper,
por ejemplo) lo lleva a resumir el *currulao* como una negación: "una
singular paradoja: es la inmovilidad en el movimiento" ("De Honda
a Cartagena" 404).

"La inmovilidad en el movimiento" precisamente es una figura
para leer lo que Samper no puede tolerar: una forma de relacionarse
con la naturaleza a través del cuerpo que no produce plusvalía, una
sensualidad que no se cifra en la reproducción y que no tiene aparente
finalidad en el tiempo, sino en el espacio. Por eso es que Samper, sin
salirse de su gramática del tránsito, ve los cuerpos que bailan como
ruedas que "daban vueltas con la mecánica uniformidad [...] de una
máquina". El baile para él no tiene propósito, es la presencia de la
ausencia del progreso. El *currulao* vuelve sobre sí mismo sin condu-
cir a ninguna parte escenificando una relación económica frente a la
naturaleza distinta de la propuesta por el liberalismo: el consumo sin
acumulación, el valor de uso que oblitera el valor de intercambio.

El ocio como improductividad pero también como aquello que no
tiene finalidad, es una relación que la imaginación liberal decodifica
como un camino de vuelta a la naturaleza y en ese sentido al salvajismo como el antiprogreso, porque de su relación con el entorno no se
produce nada para el intercambio. Por eso es que Michael Taussig, al
interpretar la indignación que producen en el geógrafo Agustín Codazzi la supuesta indolencia de los nativos y de los negros, se pregunta:
"Puede ser que 'la gente de la hamaca' representa para él una reversión
de la cultura a la naturaleza, que se quiebra frente a la Razón Ilustrada
así como frente a sus formas privilegiadas de disciplina?"[17] (*My Cocaine Museum* 204). Una reversión que sin duda ve Samper y por lo cual
es enfático en vaticinar que "[l]a civilización no reinará en esas comarcas [que ya va dejando atrás por el cambio de artículo estas/esas] sino
el día que haya desaparecido el *currulao*, que es la horrible síntesis de
la barbarie actual" ("De Honda a Cartagena" 404).

---

17. "Could it be that the hammock people represent for him a reversion from
culture to nature that splits in the face of Enlightenment reason as much as its preferred
forms of discipline?".

Abundancia y violencia

En Samper el trópico es decodificado como un mundo que tiene todo lo europeo en demasía. Hay dos veranos, hay dos primaveras, la luz trabaja doblemente, agigantando los árboles, fermentando el suelo, monstrificando los cuerpos, enrareciendo el ambiente en un movimiento descontrolado. Y es así debido en gran parte a que no hay nadie, piensa Samper, que lo controle o lo domestique, que trabaje para hacerlo Europa. Al igual que los europeos que visitaban Sudáfrica, en los textos de Samper y sus contemporáneos cada vez que se dice el Bajo Magdalena se dice no-Europa, y, por lo tanto, no se describe lo que se ve sino lo que no se ve, pero debería verse: "En cada momento particular en que África es identificada como no europea, permanece Europa, no África, como aquello que es nombrado"[18] (Coetzee 164). En una cita que es el resumen perfecto del pensamiento caldasiano, Samper concluye que "en aquel mundo [tropical] no era posible crear la civilización sino a condición de concentrarla" porque "la onda siempre *invasora* de una vegetación calenturienta y lujuriosa, que nace, crece y muere para renacer centuplicada, en un perpetuo estremecimiento de amor y pujanza" (Samper, *Ensayo* 25; cursivas mías). De esta rendición del trópico surge la idea de que el ocio no es solamente improductivo en el trópico, sino que puede ser mortal, ya que no trabajar significa dejarse someter por los elementos de la naturaleza: ser invadido por la vegetación, influido por el clima, contaminado por sus habitantes.

En los escritos de Samper es posible leer una solución al aparente choque entre clima y liberalismo económico. Será en los jardines tropicales de control climático que visitará Samper en el *Crystal Palace* en Londres, luego de su descenso por el río Magdalena y tras cruzar el Atlántico, donde el escritor resolverá la oposición entre trópico y civilización. Producto de las últimas tecnologías de control del clima, la producción industrial del vidrio y el hierro, en estas inmensas estructuras metropolitanas Samper encontrará que la civilización se puede reproducir en el trópico. No obstante, tal cual representada por él, la civilización tropical es un espacio deshabitado de bogas y frecuentado

---

18. "in each particular time in which Africa is identified to be non-European, it remains Europe, not Africa, that is named".

por turistas blancos. Este espacio aséptico, como veremos, es sin más la posibilidad de arrancar de raíz la cultura de su espacio, produciendo un lugar deshabitado, un espacio de tránsito que encarna el consumo: para entrar a este espacio de ocio es necesario pagar una cantidad de dinero. Así, previa higienización de enfermedades y eliminación de sus habitantes, como parque temático, se puede integrar el trópico de baja altura —el trópico que aterró a Samper en el Bajo Magdalena— a las dinámicas del pensamiento civilizatorio.

Samper visita el *Crystal Palace*

La construcción de espacios para la creación de climas artificiales, sobre todo para resistir el invierno, ha existido en Europa desde la Antigüedad (Hix 42). Su popularización y adecuación para otros fines vendría mucho después. De acuerdo con Koppelkamm, el invernadero "comenzó en el Renacimiento con la llegada de productos artificiales y su consumo por parte de las élites"[19] (10). Paralelo a la importación de mercancías de las colonias tropicales, comenzaron a idearse, durante el siglo XVI y XVII en Europa, formas de aclimatar las producciones, tanto animales como vegetales, para su intercambio comercial pero también para su uso científico a través de jardines botánicos como los de Padua y luego los de Florencia y Pisa (Kolhmaier y Sartory 29). A diferencia del invernadero como espacio para el exclusivo cultivo de plantas fuera de su hábitat natural y cuya traducción en francés sería *serre* y en inglés *hothouse*; el invernáculo, palabra de muy poco uso corriente hoy, designa espacios más cercanos a los *Wintergardens* o *Jardin d'hiver* europeos; es decir, espacios donde los humanos interactuaban protegidos de la intemperie en medio de plantas cuyo ambiente nativo se encontraba a miles de kilómetros de distancia. En los invernáculos se mezclaban industria, ciencia, economía, pero, a diferencia de los invernaderos, también artes y ocio (Cettou 29).

La democratización de los invernáculos como espacios públicos de diversión e instrucción donde las variadas clases sociales podían entremezclarse llegaría tan solo hasta mediados del siglo XIX, debido,

---

19. "started in the Renaissance with the influx of tropical products and its consumption by elites".

por una parte, al significativo abaratamiento del hierro y la producción en masa de grandes láminas de vidrio, ambas posibilitadas por la condiciones industriales de la Inglaterra del momento, y también gracias a los avances en el control de la tubería a vapor como herramienta de calentamiento (Cettou 22). Por otro lado, los invernáculos como escenificaciones de una naturaleza idílica respondieron a la creciente superpoblación y contaminación urbanas de las principales ciudades europeas, pero también, acaso por esto mismo, se constituyeron en estratégicos espacios de reordenamiento urbano —junto con parques y paseos, tal cual ideados por Haussman en el París posrevolucionario— donde aliviar las tensiones sociales que marcaban el ascenso de la burguesía a su pleno poder, la pérdida de capital económico y político de la nobleza y, en cierto sentido, el disciplinamiento o la "educación" de las clases medias que podían acceder a los espectáculos ofrecidos en estos espacios (Koppelkam 16).

Así, en Europa y para los europeos, el invernáculo era un lugar artificial que representaba un espacio seguro, un paraíso perdido, un edén orientalizante donde salvaguardarse del progreso, paradójicamente, desde espacios tan industriales como este. ¿Pero qué podía representar el invernáculo para un latinoamericano de la zona tropical como José María Samper? ¿Alguien cuyo país, en ese entonces, era predominantemente rural, totalmente desindustrializado y cuya diversidad racial y cultural era decodificada como indisciplina por la imaginación económico-política del liberalismo del medio siglo xix?

Para el diario limeño *El Comercio*, Samper escribió por entregas crónicas de sus viajes por Europa para luego compilarlas en dos volúmenes que luego editaría en París bajo el título de *Viajes de un colombiano en Europa* (1862). En su estadía en Europa Samper se verá acechado por la naturaleza tropical fuera del trópico al visitar, en especial, los jardines de clima artificial del *Crystal Palace*, una enorme estructura de vidrio y hierro que en su momento costó 150 000 libras esterlinas, construida por Sir Joseph Paxton para alojar la exposición universal de 1851 (Kohlmaier y Sartory 32). El invernáculo en Samper es una heterotopía (Foucault) que propone "una nueva forma de ordenar que contraste con la incuestionada idea del orden social existente"[20] (Hetherington

---

20. "a new way of ordering that stands in constrast to the taken-for-granted mundane idea of social order that exists within society".

40). A través de un mundo "patas arriba", los invernáculos nos hablan de la sociedad que produce estos espacios alternos, pero también nos dejan ver las fantasías, pesadillas y ansiedades que producen en sujetos que, como Samper, viniendo del trópico, se mueven por Londres sin ser europeos, pero sintiéndose agentes del proyecto civilizatorio en su propio país.

En su libro *Spaces of Hope* (2000) David Harvey introduce el concepto de "Utopias of Spacial Form" (Utopías espaciales) para referirse a los espacios que administran la temporalidad e imaginan geografías desde donde controlar (e impedir) la posibilidad del cambio social: "la temporalidad del proceso social, la dialéctica del cambio social —la historia real— quedan excluidas (de las Utopías espaciales)— mientras la estabilidad social es asegurada por formas sociales fijas"[21] (160). Esta idea la retoma Harvey en su libro *Cosmopolitanism and the Geographies of Freedom* (2009), en el cual desata un enconado ataque al concepto de heterotopía bosquejado por Foucault, primero en *Les mots et les choses* (1966) y luego en una conferencia dictada por él en 1967 que sería recogida en un texto póstumo llamado "Of Other Spaces" (1984). De acuerdo con él, las heterotopías de Foucault se construyen como espacios absolutos (*Spaces of Hope* 160). Foucault asume que ellas están por fuera del orden social dominante y por tanto —otra vez de forma errónea de acuerdo con el geógrafo inglés— son tenidas como espacios en cuyo interior suceden siempre interacciones radicales y subversivas frente a la espacialidad normativa de lo exterior. Sin embargo, responde Harvey, esto no tiene siempre que ser así: "Según la formulación de Foucault, el cementerio, el campo de concentración, la industria y el centro comercial, Disneylandia, las iglesias, Jonestown, los campos de milicia, las oficina, New Harmony (Indiana), y los condominios son todos lugares donde hacer cosas alternativamente y en ese sentido son heterotópicos"[22] (*Cosmopolitanism* 160).

21. "the temporality of the social process, the dialectic of social change —real history— are excluded [from Utopias of Spacial Form], while social stability is assured by fixed spatial forms".

22. "Under Foucault's formulation, the cemetery and the concentration camp, the factory and the shopping mall, Disneyland, churches, Jonestown, militia camps, the open-plan office, New Harmony (Indiana), and gated communities are all sites of alternative ways of doing things and therefore in some sense heterotopic".

La alienación frente a la historia que se escenifica en las heterotopías del escape —el ejemplo más famoso es el último que cita Foucault en su conferencia: "el barco es la heterotopía por excelencia"[23] ("Of Other Spaces" 27)— encuentra su más acabada expresión, de acuerdo con Harvey, en las "Degenerate Utopias" (*Spaces of Hope* 164; Utopías degeneradas). Tal como los invernáculos, estos son espacios, continúa Harvey, donde se eliminan "las molestias de viajar al ensamblar el resto del mundo, adecuadamente higienizado y mitologizado, en un solo lugar de pura fantasía que contiene múltiples órdenes. La dialéctica queda reprimida y la estabilidad y la harmonía quedan aseguradas a través de un intenso control y vigilancia"[24] (*Spaces of Hope* 167). Así como Walter Benjamin vio en los vidrios espejeantes que pululaban en los pasajes parisinos espacios donde se nublaba el juicio crítico y se estimulaba una suerte de nirvana en los paseantes (*The Arcades* 878), los invernáculos como utopías espaciales inventan la historia como un espacio no conflictivo por fuera del mundo "real" donde cultivar la nostalgia por un espacio mítico orientalizante —el jardín del Edén, por ejemplo, o una Naturaleza "virgen"— para exhibir el fin de la historia con un letrero que da la bienvenida a ese espacio con la siguiente leyenda: "no hay otra alternativa"[25] (Harvey *Spaces of Hope* 173).

Esto es precisamente lo que experimenta Samper en su visita al *Crystal Palace*. Allí, Samper puede imaginarse como un viajero planetario, aquel que recorre la tierra entera en una tarde de domingo como si paseara por un jardín, sin tropiezos y sin interrupciones. Consciente de estar evadiéndose del invierno londinense, Samper sin embargo escribe:

La falta de abundante vegetación exterior, que era efecto de las nieves del invierno, me hizo buscar de preferencia los invernáculos de cristal [...]. Yo recorría allí todas las regiones de la tierra, en cuanto a su vegetación, con solo trasladarme sucesivamente de un invernáculo a otro. Admiraba la flora europea de todas las latitudes, educada en cierto modo por la civilización,

---

23. "the ship is the heterotopia *par excellence*".

24. "the troubles of actual travel by assembling the rest of the world, properly sanitized and mythologized, into one place of pure fantasy containing multiple orders. The dialectic is repressed and stability and harmony are secured through intense surveillance and control".

25. "there is no other alternative".

embellecida por el arte, en cuanto este puede embellecer a la naturaleza. *Adivinaba los desiertos de África [...] asistía a las escenas suntuosas de las selvas y montañas asiáticas [...] dando la idea de un mundo semi-bárbaro, inmenso, cuya grandeza provoca la codicia de los pueblos gastados y empobrecidos por el tiempo en Occidente* (*Viajes* tomo I, 132; cursivas mías).

En la descripción de este espacio planetario, pero compartimentado en diferentes invernáculos con distintas vegetaciones, hay una operación contraria a la que Samper había usado para representar el trópico: la abundancia como proliferante negatividad (de cultura, de transportes, de gentes). En este espectáculo donde se exhibe artificialmente la naturaleza desagregada de la cultura —en su momento de mayor tecnologización— la naturaleza del trópico es un espacio sin tiempo al mismo tiempo que Europa es puro tiempo gastado que busca esa "grandeza" del mundo "semibárbaro" para rejuvenecerse. En ese sentido, narrado por Samper y a contrapelo suyo, el invernáculo es una suerte de museo de historia natural del imperialismo europeo del siglo XIX donde ver en una escena, entre gótica y animal, aquello de "el hambre de hombre lobo del capitalismo por obtener plusvalía"[26] (Harvey, *Spaces of Hope* 105).

Por otra parte, hay en esta escena una doble invisibilización: primero del vidrio y luego, a través suyo, de la historia. Una vez dentro de los espacios de cristal por los que pasea Samper, el mundo fuera de ellos —siempre visible a través del vidrio— queda, sin embargo, ocluido como si no existiera. En su ensayo "Experiencia y pobreza" o en enormes trabajos inconclusos como *El libro de los pasajes*, Walter Benjamin ha reflexionado sobre el impacto simbólico del vidrio sobre los espacios privados y públicos al masificarse su uso a mediados del siglo XIX, sobre todo a partir de la inauguración del *Crystal Palace* de Londres en 1851 y, antes de este, en el *Jardin d'Hiver* de Paris en el fragoroso año de 1848: "el origen de todas las estructuras de hierro y vidrio viene de los invernaderos"[27] (Benjamin, *The Arcades* 158). Benjamin encuentra que el vidrio es "un material duro y liso sobre lo cual nada puede fijarse [...] los objetos hechos de vidrio no tienen 'aura'. El

26. "Capitalism's werewolf hunger for surplus value".
27. "the origin of all present-day arquitecture in iron and glass comes from greenhouses".

vidrio es, en general, el enemigo de los secretos. Es también el enemigo de la posesión"[28] ("Experience and Poverty" 734).

Samper en su descripción de los invernáculos públicos londinenses borra el vidrio y con él el mundo que está fuera, creando una falsa continuidad entre ambos como si el afuera y el adentro —el adentro del invernáculo y el afuera del Londres invernal— vivieran en una relación de simultaneidad, llana y sin cortapisas, sin conflicto alguno. Según Maryline Cettou, los *Jardins d'Hiver* parisinos, antes que ser simplemente espacios para el conocimiento[29] —y acaso porque que desplegaban un conocimiento imperial— reproducían en micro la geografía colonial, puesto que, divididas en secciones, se extendían las distintas producciones de horticultura de las colonias tropicales (19). Si a toda heterotopía la constituye la mirada que la ve desde afuera (Hetherington 43), haciéndola extraña, la resistencia del vidrio a recibir marcas permanentes ofrece una provocación política para quien observa a Samper a través del vidrio mirando las selvas tropicales en Londres. Esa provocación pide, de acuerdo con Terry Eagleton, historizar la evasión, romper simbólicamente el vidrio que es lo mismo que tratar de reconstruir las marcas que de ahí se pretenden borrar: "la borradura, preservación o recuperación de marcas es una práctica política fundamental"[30] (Eagleton en Salzani 183).

El jardín cosmopolita

La Europa del viaje de Samper es un inmenso jardín, un espacio totalmente cultivado, que hace gala, evidentemente, del múltiple sentido de cultivar: de cultivo, de culta, de cultura (Williams 87). Samper decide visibilizar sobremanera los invernáculos europeos en sus textos

---

28. "a hard smooth material to which nothing can be fixed. [...] Objects made of glass have no 'aura'. Glass is, in general, the enemy of secrets. It is also the enemy of possession".

29. En su libro *Jardins d'Hiver et de Papier*, Cettou traza una línea de continuidad entre los jardines botánicos y los jardines de invierno —los invernáculos— como dos espacios que, cada uno desde sus particulares dinámicas, vulgarizaban las ciencias naturales, las mineralógicas, las botánicas y las zoológicas. De esta manera, ella sostiene que los jardines de invierno eran escenificaciones del progreso —espacializaciones de su temporalidad— que podían verse, visitarse y habitarse momentáneamente (22).

30. "the erasure, preservation, or revival of traces is a fundamental political practice".

de viaje, precisamente porque muestran la factibilidad de una selva civilizada, como imagen que promete incorporar a Colombia dentro de la historia de Europa, es decir, en su espacio y tiempo. Para Samper, en Europa las selvas no existen sino como bosques cuyos paisajes son descritos como obras de arte, pura naturaleza arquitectónica: "basílicas perfumadas de verde y blanco tapiz y elegantísima techumbre, donde la mirada se siente como aprisionada entre artesonados de verdura aérea coronado interminables columnatas de color gris rojizo" (*Viajes* tomo II, 133). En Suiza, por ejemplo, en su geografía montañosa que encuentra similar a la de Colombia (*Viajes* tomo II, 28-29; *El programa* 20), Samper decide caminar con su mujer por lo que llama una "selva" que parece pertenecer "a un mundo enteramente salvaje" donde reina un silencio solamente interrumpido por las canciones del guía y "las explosiones causadas por las minas en las rocas que taladraban en el fondo de la selva algunos peones, abriendo un camino carretero por en medio de abismos" (*Viajes* tomo II, 171). Ignorando las canciones del guía (al igual que los cantos del boga en Colombia) y también pasando por alto la intervención del capital sobre el espacio que delata la explosión de minas, Samper solamente se apercibe de "la presencia de la civilización" cuando observa que por la selva corre un cable de telégrafo. Para Samper, la civilización, nuevamente, es ese movimiento que cruza, que transita, entrando y saliendo de los espacios, interviniéndolos asépticamente, sin dejar en ellos, sin embargo, huellas perceptibles —o eso cree Samper— como si ella hiciera parte de la naturaleza, fuera su "alma natural y social", y se convirtiera en paisaje. De ahí la magistral forma de camuflaje del cable telegráfico en medio de la selva como si fuera una liana más, confundida entre los árboles.

La imaginación espacial de Samper retrata la geografía europea, por gracia del librecambismo, como un paisaje continuo, llano, "una verdadera alegoría liberal de Europa" (Frédéric Martínez 310). Como lo ha notado Frédéric Martínez, Samper era dado al pensamiento alegórico (315). Esto tal vez no encuentre mejor concreción que en su obsesiva reprobación de las fortificaciones, de las murallas y las aduanas, "como símbolos de falta de civilización que la entorpecen" (Alzate, "Comunidad" 22) y escenificaciones donde lo que Samper encuentra es natural —el libre cambio— se opone a aquello —artificial— que quiere entorpecerlo: "Allí [en la aduana], como en todas las aduanas de Francia, el viajero tiene ocasión de observar la lucha permanente entre lo natural y lo artificial, que se origina de las instituciones egoístas y que tiene por base la desconfianza y la sospecha" (*Viajes* tomo I, 515).

Como "prototipo del observador institucional" (290) o "gran ideólogo del viaje" (354) —como en sendos casos lo llama Frédéric Martínez—, Samper imagina en Europa un mapa horizontalizado por el capital que, no obstante, parece ser, tal como lo hemos visto, de conflictiva aplicación en Colombia. Ante su incapacidad de disciplinar los cuerpos de los bogas del Bajo Magdalena en el invernáculo se ejerce el acto de la disciplina máxima: optar por su obliteración. Si el objeto de la disciplina, como muestra Foucault, es confinar a cada individuo en su lugar y encontrar un lugar para cada individuo (*Discipline* 143), el invernáculo es el espacio disciplinario por excelencia donde la selva aparece finalmente deshabitada por aquellos que presuntamente la hacen improductiva, despoblada de aquellos que la habitan. Paradójicamente, para la imaginación liberal que desea horizontalizar el espacio, la selva únicamente puede integrarse al mundo del capital a través de su separación de la historia. De esta manera, los invernáculos son la manera de experimentar el trópico sin desplazarse, vivir un espacio sin historia, evitando inclusive la incomodidad del tránsito: en el invernáculo no hay mosquitos, los cantos y los cuerpos de los bogas no perturban la contemplación y las miasmas no amenazan la salud. Así, los invernáculos son espacios de escape, de evasión y dan forma al momento último del tránsito, aquel donde se evita inclusive el desplazamiento.

La estrategia de incorporación de la selva a las dinámicas del liberalismo pasará en Samper por una consideración estética que quiere esconder su racionalidad política. El deseo por atravesar esos espacios con rutas para hacerlos accesibles a la explotación capitalista se camufla tras una evaluación de las diferencias de forma entre las selvas europeas y las colombianas: "[en las florestas de Europa] todo es correcto y esmerado: los caminos son como calles, los senderos tienen el aspecto de líneas trazadas con ingenio y abiertas con artificio" (*Historia de un alma* 518). Reconvertir las selvas colombianas en paisajes del capital, tal como Samper encuentra que son las "florestas" europeas, habla asimismo de esos otros "bosques en miniatura" (*Viajes* tomo I, 160) que son los invernáculos europeos, paisajes producidos por el capital donde un aparente caos es permitido —el "capricho" de las flores del que habla Samper— en tanto "lo salvaje" es escenificado como un

producto refinado de las últimas técnicas del cultivo, la tecnologización de la naturaleza y el control del clima. Los invernáculos son espacios donde soñar que la selva pueda ser productiva económicamente
en tanto puede ser atravesado por vías para la posible extracción de
infinitos *commodities*:

> [En el *Crystal Palace* hay] espaciosos jardines, *verdaderos bosques en mi-
> niatura, que reproducen los caprichos de esa suntuosa y perfumada arqui-
> tectura de la naturaleza, que se llama vegetación.* ¡Qué de primores aglo-
> merados allí! *Tan presto se cruza un jardín europeo*, literalmente cuajado
> de tesoros de jardinería refinada, donde la rosa y la camelia alternan con
> mil otras flores educadas con el arte mas minuciosos y delicado; *como se
> pasa por en medio de un vasto huerto colombiano*, bajo las anchas hojas
> del platanal, de la caña de azúcar y de las palmas de chontas, nacumas y
> cocoteros, y rozándose con las cepas de piñas olorosas, las lianas flexibles
> y aéreas, las parasitas más bellas, los helechos arborescentes mas elegantes
> y muchas plantas de hermosura en extremos *caprichosas, y que crece a
> una temperatura artificial propia* y al derredor de anchos estanques de
> lecho musgoso, donde se agitan los peces de la zona tórrida ente las yerbas
> acuáticas entretejidas *caprichosamente* (*Viajes* tomo I, 160; cursivas mías).

Los plantas están "educadas", las yerbas se "entretejen", la vegetación es "arquitectura". Este disciplinamiento de la flora, a pesar de
esos "caprichos" que le son permitidos como pulsiones "estéticas",
quieren que sea tan fácil "cruzar un jardín europeo" como "pasar por
en medio de un vasto huerto colombiano". La selva del invernáculo
es el sueño del tránsito como paseo y no como escape; en él se puede hacer del trópico de baja altura una Europa donde las mercancías
transiten y los hombres (como él) paseen. Así, en una vuelta de tuerca radical, las "selvas seculares" tropicales exhibidas en los jardines
de invierno europeos —como el *Crystal Palace* londinense que visita
Samper (ver imagen 3)— son una intervención radical sobre lo natural. Los invernáculos son lugares en los que "un ambiente [artificial]
reemplazó a la naturaleza"[31] (Taylor 65), escenificando una narrativa
ahistórica donde se imposta una naturaleza pretecnológica, justamen-
te, en su momento de mayor tecnologización, como si algo como "lo
natural" tuviera una narrativa previa al hombre. Jean-Luc Nancy nos

---

31. "the [artificial] environment supplemented nature".

recuerda que la relación entre lo humano y lo natural nunca fue escindible, sino que siempre estuvo mediada por la tecnología, al punto de que, dice Nancy, algo así como la Naturaleza "nunca tuvo lugar y nunca lo tendrá"[32] (41). En los *conservatories* o *forcing houses* ingleses o en las *serres* francesas que visita Samper, en efecto, la tecnología ya no interviene sobre la naturaleza sino que la reemplaza, creando su propia imagen especular a cambio de la cual se paga un precio para contemplarla[33]. No es ya el capital capturando la selva, interviniéndola para extraer de ella plusvalía a través de la simetría del camino y el cultivo, sino el capital exhibiéndose como naturaleza, creando lo que se denominó en su momento el jardín automático, un espacio de clima controlado que aparenta no necesitar del trabajo del hombre para regularse (Hix 59).

El invernáculo como el fin de la historia

La reunión de todo el mundo vegetal que ve Samper en los invernáculos de Londres es un espacio para fantasear un posible futuro cosmopolita para la humanidad: "Esa centralización o reunión de todas las plantas, sublime asamblea cosmopolita, es la imagen de la unidad en la civilización" (*Viajes* tomo I, 133). En ese sentido, como sostiene Harvey, las utopías espaciales también quieren controlar los procesos sociales que les dan forma, pero fallan (*Spaces of Hope* 173). El invernáculo como mundo en miniatura donde no hay conflictos ni sujeciones crea, así mismo, el progreso como una "utopía del progreso social" que idealiza los procesos sociales en términos temporales. Ambas utopías, orgánicamente relacionadas, la temporal y la espacial, proponen la inevitabilidad del progreso como una teleología incontestable (Hegel en Harvey *Spaces of Hope* 176).

Visto así, lo que observa Samper en el invernáculo londinense es una imagen del fin del mundo, un espacio deshabitado, convertido en lugar, que el progreso ha logrado finalmente hacer inhabitable. Es el futuro distópico del capitalismo y en ese sentido es lo contrario de lo

---

32. "never took place and will never take place".

33. Samper va los sábados al *Crystal Palace*, porque ese día, dice, van "los visitantes pertenecientes a la buena sociedad, se da en el palacio un gran concierto y la entrada cuesta el doble de los demás días de la semana" (*Viajes* tomo I, 161).

que Samper observa. El invernáculo no es esa "gran mancomunidad de derechos, misión e intereses que liga a todas las razas" (*Viajes* tomo I, 133), un jardín cosmopolita, como la ve Samper, sino la escenificación de la selva como un inmenso jardín automático sin hombres que, a su vez, atestigua el genocidio humano a manos del capital. Evidentemente, esto nos lleva a confirmar, otra vez con Benjamin, aquello de "no hay documento de la cultura que no sea al mismo tiempo un documento de la barbarie"[34] ("On the Concept" 392). No de otra manera se puede leer el gesto posthistórico de acuerdo con el cual Samper compara los pueblos con las plantas: "[l]os pueblos son como las plantas: miradas aisladamente, los rasgos característicos asoman, los contrastes son vigorosos, el antagonismo aparente es sensible; pero consideradas en los invernáculos, en un grandioso conjunto que las reúne sin confundirlas, aparece patentemente la suprema armonía que las enlaza a todas y les da la perfección de la hermosura y la grandeza" (*Viajes* tomo I, 134).

El invernáculo es la naturalización de cierta cultura y la obliteración de la violencia como su historia. Esta humanidad sin conflictos, en estado vegetativo, es la única narrativa desde la cual Samper puede leer la verticalidad del trópico colombiano desde la imaginación horizontal del pensamiento del liberalismo económico. En su paseo por los invernáculos londinenses, Samper se deleita con la flora tropical que él nacionaliza como colombiana. Solo se imagina en ella como su total dominador. Como si fuera un gigante que la recorre de arriba a abajo, devorándola, Samper come de todos los frutos del país, evita los rigores de sus climas y puede contemplar su geografía enteramente, sin tener que viajar por ella, sin tomar el champán por el Magdalena, requerir los servicios del boga o, ni siquiera, subirse al vapor.

[En el invernáculo londinense] nada llenaba tanto mi espíritu y mi corazón como la vista de los grupos de plantas colombianas [...]. Yo creía [allí] vivir en Colombia, respirar su aire vigoroso, contemplar su cielo espléndido, calentarme con su fuego, o levantarme sobre sus cordilleras empinadas, devorar sus frutas deliciosas y embriagarme con los perfumes de ese mundo de luz, de fuerza y majestad natural que había dejado del otro lado del Océano (*Viajes* tomo I, 132).

34. "there is no document of culture which is not at the same time a document of barbarism".

De esta manera Samper cumple su fantasía de ser el único habitante de un país por fin tropical *y* civilizado; una fantasía, obviamente, que se cumple únicamente al eliminar hasta el último hombre, excepto él, convertido ya en testimonio y testigo de su obra civilizadora en el trópico. Este espacio lo produce a él y, al mismo tiempo, él lo produce a través de su mirada. Este mundo artificial en el que él es el único habitante, solo y contento, es producto de lo que llamaré *la mirada invernacular*: una mirada etnocéntrica, que se guarece inmunizada, y que no considera otras variables para entender el mundo que no sean las suyas propias.

La mirada invernacular

En sus memorias *Historia de un alma* (1880), Samper vuelve sobre algunas de sus impresiones de su primer viaje europeo que, por razones diplomáticas del momento[35], no pudieron darse a imprenta como parte de sus viajes de 1858 a 1862. Al volver sobre su vida, Samper recuerda haber visitado en París el invernáculo de los hermanos Peréire (ver imagen 4), dos "opulentos banqueros judío portugueses", quienes lo invitaron, junto a su suegra y a su esposa, a su "suntuoso palacio que tenían en la calle del arrabal de San Honorato" (*Historia de un alma* 472). A pesar de algunos excesos, Samper reconoce, complacido, que "no se notaba en las gentes [invitadas a la reunión] aquella altanería que de ordinario ostentan los opulentos que pertenecen a la clase media" (*Historia de un alma* 476). En el invernáculo de la casa de los Peréire, Samper puede entregarse al ocio, "a gustar deliciosos helados en un invernáculo, en compañía de multitud de plantas de la

35. De acuerdo con Carolina Alzate y Frédéric Martínez (227), hay una explicación histórica para el hecho de que la estadía en París de Samper no fuera objeto de mayor profundidad en la escritura de *Viajes de un colombiano en Europa* (1862), y tuviera que ser retomada en *Historia de un alma* (1880). La incomodidad que las autoridades francesas sentían frente al gobierno liberal colombiano de entonces, las presiones de los conservadores colombianos en París y, claro, la delicadeza diplomática del tema impedían hacerlo público pues, recordemos, *Viajes de un colombiano* fue dado a la imprenta por entregas en *El Comercio* de Lima. Escribe Alzate: "París ocupa en el relato (de *Viajes de un colombiano...*) solo dos o tres páginas. Sus años allí serían narrados luego en *Historia de un alma* (1880). Su experiencia en París [de Samper] fue muy difícil, pues hizo parte del cuerpo diplomático que infructuosamente trató de que la Francia de Napoleón III reconociera a la República de la Nueva Granada" ("Comunidad" 22).

zona tórrida que me hacían recordar la espléndida vegetación de mi país" (*Historia de un alma* 476). La visita al invernáculo de los Peréire se devela como una experiencia para observar el trópico como un espacio disciplinado donde todas las características del trópico del Bajo Magdalena que Samper había decodificado como carencias durante el viaje río abajo por el Magdalena se representan, para él, positivamente: no hay ruidos, no hay mosquitos, no hay gente de color y, sobre todo, se puede disfrutar de aquello de lo cual se carece pero se desea (porque no se puede comprar) en el Bajo Magdalena: un helado de vainilla[36].

Sentado mientras degusta un helado en el invernáculo, "casi solo", Samper recibe la visita del escritor francés Arsène Houssaye (1815-1896), quien, por la descripción que de él hace Samper, parece ser un doble suyo, el vidrio donde se refleja: el porte y la edad lo hacen prácticamente su copia (aunque Samper fuera trece años menor). Al igual que Samper, el francés también disfruta de un helado. Así, el invernáculo es la fantasía del espacio aséptico absoluto: un clima artificial donde no hay nadie más que uno mismo, duplicado, inmunizado, con quien monologar. Es, precisamente, *la mirada invernacular* la que produce este mundo: un espacio sin conflictos al que se llega después de obliterar la diferencia cultural y controlar todos los elementos naturales, inclusive el clima. En el invernáculo Samper y Houssaye tienen el siguiente diálogo que cito en extenso:

> Estaba yo en el invernáculo saboreando un helado, cuando entró allí y se sentó muy cerca de mí un joven como de treinta y dos años alto, rubio, delgado, bien parecido y de fisonomía simpática y expresiva. [...]
> —Es deliciosa la temperatura en este sitio, —me dijo—, después de salir de la ardiente atmósfera de los salones.
> —Ciertamente, —le contesté—, la transición no puede ser más agradable; y para mí lo es más, sin duda, que para usted, señor.
> —¡Ah! ¿Y por qué?
> —*Estoy en este invernáculo como en mi país.*
> —¡Ah! ¿No es usted francés?
> —No tengo el honor de ser francés, pero tengo la dicha de ser hijo de la Nueva Granada [entonces el nombre de la actual Colombia].

36. Esta elegante observación sobre el consumo de helado en el invernáculo se la debo a Mary Pratt. Le agradezco también haberme hecho caer en cuenta que Houssaye, en esta escena, es otra de las variaciones del vidrio en tanto Samper se ve reflejado en él.

—Se echa de ver que usted es al propio tiempo galante para con los franceses y patriota.

—No es una galantería lo que he dicho, señor. Amo y admiro profundamente a este gran país, y desde mi adolescencia he nutrido mi espíritu con las producciones del ingenio francés (*Historia de un alma* 477; cursivas mías).

Aparte de ser perfecto para el ocio, este espacio se presta para la condena moral. A pesar de su clima artificialmente "tórrido", presta un resguardo frente a las temperaturas, figuradamente, más "ardientes" de los salones donde departía esa "clase literaria que llamaban la Bohemia, [donde] había mil aberraciones y extravagancias, y no pocas luchas terribles del ingenio desgraciado, empeñado en abrirse camino, en las altas regiones de la literatura francesa" (*Historia de un alma* 478). El invernáculo salva a Samper (y a Houssaye) de las inquinas del mundo literario, al mismo tiempo que recrea la fantasía europea de Samper como un paisaje horizontal: en el invernáculo Samper es aceptado en la comunidad de escritores europeos a pesar de venir del trópico. En efecto, el invernáculo es el único espacio donde finalmente Samper encuentra quien lo reconozca. En su estadía en Europa no había hecho amigos, condenaba los excesos de los expatriados colombianos y su mujer, Soledad Acosta de Samper, aparece en muy contadas ocasiones, siempre pasajeramente y sin voz propia. Su soledad se quiebra en esta escena, cuando se encuentra, paradójicamente, con él mismo en su versión fantaseada: Samper es Houssaye, es decir, un escritor francés reconocido por el público.

En primer lugar, no es el escritor francés quien lo invita a su casa, sino es el escritor colombiano, en un ambiente propio y a la vez ajeno, generado por el clima artificial del invernáculo, quien recibe la visita del escritor francés como si estuviera en su casa, en su país (en el de Samper, se entiende). En este ambiente artificial, desde luego, no puede haber acentos o ninguna marca que delate la procedencia de los contertulios. Por el contrario, debe ser un lugar especular, sin rastro, como son aquellos espacios construidos en vidrio y hierro (Benjamin, "Experience" 734). Por eso Samper es confundido, para su satisfacción, con un francés. Houssaye lo reconoce y lo distingue cuando le pregunta: "¡Ah! ¿No es usted francés?". Con la expresión de sorpresa y la pregunta que le sigue se sella un pacto de inclusión. Como pago por la neutralización de su acento y la implícita aceptación a la comunidad europea que esto lleva consigo, el clima tórrido se nacionaliza. Solo entonces Samper se reconoce como colombiano y marca con sus palabras su cuerpo: "No tengo el honor de ser francés, pero tengo la dicha de ser hijo de la Nueva Granada". El trópico solamente puede ser apropiado una vez su cuerpo ha sido confundido con el cuerpo de un europeo. De esta manera, Samper duplica la artificialidad del espacio que ocupa y borra la historia del trópico: él no es producto del lugar en el cual creció. La existencia de Samper antecede o, mejor, está por fuera del trópico. Así opera la mirada invernacular, separa a Samper del trópico, como si uno no determinara al otro, escindiendo antinaturalmente la naturaleza de la cultura, para producirse como un escritor europeo nacido y crecido en el trópico. Fuera/dentro de él, Samper vive un mundo artificial que le permite deshistorizarse para revalidarse frente a una comunidad de escritores que, con seguridad, no tenían por qué saber quién era él o de dónde venía. Finalmente puede entregarse a conversar (¿monologar?) con su contertulio por "cosa de hora y media" para comprobar, complacido, una vez más, que Houssaye no pertenecía a la "bohemia", sino a esos hombres "dignos del mayor respeto, [...] la grandeza y la gloria de la literatura francesa".

EL INVERNÁCULO COMO SOLUCIÓN A LAS CONTRADICCIONES DE LA CIVILIZACIÓN EN EL TRÓPICO

El invernáculo en Samper es una "utopia de la forma social" (Harvey) que es necesario leer con el mapa ideológico de Francisco José de Caldas en mente. A diferencia de las particularidades de este mapa, en el invernáculo londinense que visita Samper no hay una pretendida distribución etnoclimática que pida poner a los blancos arriba y las demás razas abajo, siguiendo una línea climática para trazar una narrativa que naturaliza la sujeción. En este espacio no pueden acceder allí sino blancos europeos o contados blancos americanos. Allí el invernáculo es la solución del *impasse* del proyecto civilizatorio en el trópico en el sentido de que no resuelve sino que reprime un deseo irrealizable: hacer compatible la verticalidad de su pensamiento civilizatorio —el ascendiente educador/europeizador sobre "razas" tenidas por "inferiores" (Rojas 101)— con la imaginación económico-política del liberalismo, normativamente horizontal (Harvey, *Cosmopolitanism* 38). Al deshabitar el trópico de gente "a civilizar", por sustracción de materia, se horizontaliza el espacio vertical del trópico colombiano, con lo cual se obtiene un espacio de tierra caliente habitado por blancos donde el ocio es posible porque no se hace necesario disciplinar a esos otros que garantizan el viaje: los bogas negros, mulatos y zambos que conducen los champanes por el río Magdalena. Desde el invernáculo se repiensa el trópico de clima tórrido como un espacio que puede ser usado para el ocio porque ha dejado de ser racialmente conflictivo, lo cual abre la expectativa de hacerlo habitable, europeizándolo, permitiendo que deje de ser transitable para devenir, por tanto, en un espacio "paseable" de placer y confort. Al precio, claro está, de exterminar la cultura colombiana.

Capítulo 3

Otros invernáculos:
José Asunción Silva
frente al proyecto civilizatorio*

En vía a Caracas para asumir el cargo de secretario de la Legación colombiana en Venezuela, el poeta colombiano José Asunción Silva se detuvo en Cartagena durante los últimos días de agosto de 1894. Según refiere en correspondencia privada con su madre y con su hermana, fue recibido espléndidamente en la ciudad, agasajado con visitas y celebrado en la prensa local (*Cartas* 109). Entre las muchas personas que visitó durante esos días, Silva destaca la conversación que mantuvo con el político, intelectual y poeta cartagenero, a la sazón presidente de la República por cuarta vez, Rafael Núñez (1825-1894), en su casa solariega, rodeada de jardines, del barrio de El Cabrero. Una visita normal si se comprende que Silva era en ese momento funcionario de su gobierno; además de que Núñez quería que Silva le compartiera "esas extrañas novelas" que tenía la fama de leer (*Cartas* 112). El presidente se encontraba viejo y débil, alejado físicamente del solio presidencial que había dejado en Bogotá a cargo de su vicepresidente, el conservador ultramontano, gramático y latinista Miguel Antonio Caro. Núñez manifestaba, no obstante, claras preocupaciones por mantener corta la rienda del poder, porque planeaba, según cuenta Silva (*Cartas* 116), realizar un viaje a Bogotá para controlar la crisis política del momento.

* Partes de este ensayo, en una version anterior, aparecieron bajo el título "El invernáculo de José Fernández: naturaleza, tecnología y degeneración en la prosa de José Asunción Silva", en *Revista de Estudios Hispánicos* (Washington University in St Louis) XLVII. Número 3. (octubre 2013): 509-533.

Establecido en Caracas después de su breve paso por Cartagena, Silva recibe la comisión, por parte del director de la revista venezolana *El Cojo Ilustrado*, Jesús María Herrera Irigoyen, de escribir un texto sobre Núñez. En medio de la escritura del texto, Silva se entera, con algo de retraso, de que el presidente Núñez había muerto unos días después de que el poeta se entrevistara con él en Cartagena. El texto producto de este encargo es "Dr. Rafael Núñez", un extraño escrito dentro de la producción silviana que ha llevado a críticos como Clara Fortún a sostener que es un "ejemplo de sátira moderna, con ribetes barrocos" (467), a través del cual Silva se burla de las semblanzas mortuorias al uso al tiempo que agradecía, con tacto político y con gesto irónico[1], el cargo que el gobierno de Núñez, por intermedio de Caro, le había dado. Indigestado de citas del propio Núñez al punto de que el lector piensa que Silva las introduce para evitar opinar sobre una poesía que seguramente no era de su gusto, el texto, sin embargo, cuenta con un interesante párrafo donde el poeta bogotano vuelve sobre la entrevista que sostuvo en Cartagena con el presidente.

Mientras a su familia no le habla en sus cartas del mal estado de salud de Núñez, una vez se conoce la noticia de su muerte, Silva puede escribir un retrato del presidente donde este aparece terriblemente envejecido. El Núñez de Silva en "Dr. Rafael Núñez" es un cuerpo anciano y deteriorado por las intrigas políticas que parece entrar en agonía cuando se le habla de las banalidades del poder. Escribe Silva: "Mientras los temas no se alejaban de las preocupaciones vulgares, de los detalles diarios, veíasele así, los ojos nublados como por la niebla de un idea; oíase la voz lenta y perezosa que articulaba frases de fórmula" ("Dr. Rafael Núñez" 389). Sin embargo, cuando se le hablaba de "las glorias americanas" o de "los progresos materiales que el país está

---

1. El artículo de Silva apareció diez días después del fallecimiento de Núñez, es decir, el 28 de septiembre de 1894. Este artículo contiene elogios sobre la importancia de Núñez como pensador, poeta y estadista. Las malas lenguas dedujeron después que el artículo era fruto de la hipocresía de Silva, quien, además, le escribió a su madre comentando dicha publicación como un artículo "sobre y para Núñez", es decir, un producto de las compensaciones políticas del momento. Un texto, en fin, para que lo leyera el regenerador y de paso "agradecerle" a él el nombramiento como asistente del cónsul en Caracas. Posteriormente Silva fue nombrado cónsul en Guatemala, cuando el general Villa, que era el ministro en Caracas, pide su relevo. A pesar de cobrar un anticipo por ese nombramiento, sabemos que Silva nunca asumió el cargo en Guatemala.

llamado a lograr en el curso del tiempo" ("Dr. Rafael Núñez" 389), el cuerpo de Núñez recobraba de inmediato una inverosímil juventud:

> [...] el cuerpo entero, como galvanizado, se erguiría; alzaría la voz su monótono diapasón, y el hombre que teníais delante os parecería como transfigurado por el entusiasmo; los sesenta y nueve años que hubiera cumplido en estos días estaban borrados, tenía treinta, la edad de las luchas y del esfuerzo poderoso; tenía veinte, la edad de los entusiasmos sublimes y de las noblezas idealistas... no tenía edad como no la tiene el genio ("Dr. Rafael Núñez" 389).

La imagen de un Núñez anciano que es súbita y exageradamente rejuvenecido por el discurso del progreso, como si se tratara de un acto a la vez de magia y de ciencia (galvanizar), nos muestra que Silva conocía, manejaba y parodiaba el arsenal representacional desde el cual el propio Núñez, reaccionando al aparente "caos" producido por las reformas liberales de medio siglo, había construido la metáfora sobre la que descansaba su gobierno —la *Regeneración*— con la que *fisiologizó* la crisis política del fin de siglo en Colombia después de casi tres décadas de dominio de los liberales radicales. Al igual que en el acápite que arriba cito, la imagen privilegiada para hablar de la crisis política que Núñez pretendía conjurar, es la de una temporalidad trastocada, corporalizada no en un anciano joven, sino en un niño anciano, como un cuerpo degenerado, salido del curso del progreso como tiempo normativo de la civilización. Núñez escribe: "El país ha retrogradado hasta encontrarse casi en condiciones primitivas. Sin haber llegado a la virilidad, se encuentra próximo a esa especie de infancia que se llama decrepitud" ("Necesidad de concierto" 9). Es de una sutil y devastadora ironía que Silva, en un ensayo necrológico, decida representar a un Núñez vivificado por el progreso pocos días después de su muerte. La imagen de un Núñez joven en 1894 es el envés del niño anciano y por eso que sirve para leer a Silva tal como Greensdale lee a Oscar Wilde para decir que: "el arte decadente siempre fue irónico, lúdico y subversivo frente a positivismos como el tardío sistema victoriano"[2] (Greensdale 21).

---

2. "decadent art was ironic, playful and subversive of late Victorian systems such as positivism".

Lejos de las manidas representaciones del poeta como un afrancesado a 2600 metros sobre los Andes, gracias a ser miembro de la élite de su tiempo —con toda la carga de sensibilidades afines, pero también de conflictos internos—, Silva logró hacer burla de sus pares como nadie antes que él. Con su José Fernández, personaje principal de su única novela, *De sobremesa* (póstuma, 1925), Silva moduló, hiperbolizando, su voz para que sonara como el eco distorsionado del proyecto civilizatorio colombiano. Por más que haya en sus textos, como fáciles anzuelos, evidentes referencias a Huysmans o a Maupassant, hay que descosmopolitizar a Silva y ganarlo de vuelta como conciencia intelectual nacional, como el primero que al burlarse de los letrados colombianos concibió algo así como un canon nacional fuera de las gramáticas y las seudociencias de sus contemporáneos. Gutiérrez Girardot lo dijo: Silva hace una crítica a la cultura nacional pasándola por un tamiz europeo ("José Fernández Andrade" 635).

En este capítulo quiero leer a contrapelo la prosa del poeta, en especial *De sobremesa*, como una escritura consciente de la especificidad histórica del trópico colombiano, en el sentido que recoge, procesa y adopta, para subvertirlos, los discursos desplegados por la imaginación espacial del proyecto civilizatorio colombiano, tanto de los liberales radicales derrotados y fuera del poder a finales del siglo xix en Colombia, como de la reacción conservadora, canalizada a través de la Regeneración de Núñez (1886-1899) y su discurso de la recuperación del orden como un reincoporarse en la ruta del progreso (Melgarejo Acosta, *El lenguaje político* 74).

Dos materiales que trae consigo *De sobremesa* me servirán para mostrar las maneras en que Silva recoge y subvierte la imaginación espacial de las élites para referirse al trópico. Uno es el invernáculo móvil de flora tropical que José Fernández, lleva consigo en sus viajes por Europa y de vuelta a su mansión en el trópico suramericano, un espacio imposible, de un gran lujo y una tecnología fantástica. El segundo es la entrada del 10 de julio del diario de Fernández, llamado felizmente por María del Pilar Melgarejo Acosta "el pasaje nacional" (*El lenguaje político* 99). En esta entrada, viviendo sin comodidades en una casa campesina de los Alpes suizos, Fernández concibe un plan civilizatorio para convertir, a sangre y fuego, el trópico americano en una Neo-Europa (Crosby), a través del trasplante de la biota europea —vegetación, animales y hombres— a la Suramérica tropical. Leeré la europeización del trópico parodiada en esta entrada del diario de Fernández por J. A. Silva como una visión de pesadilla de las consecuencias que traería consigo llevar el invernáculo de clima controlado de Samper a la realidad.

LA REGENERACIÓN DE NÚÑEZ

Como en muchas otras partes de América Latina, las reformas liberales de medio siglo XIX serían representadas por las nuevas generaciones positivistas como un pasado de caos y guerras interminables desencadenadas por utopistas o románticos que fetichizaban la ley y desconocían la realidad latinoamericana. Así, dice Leopoldo Zea, "los continuadores [de los liberales] eran también liberales pero consciente de los efectos de la libertad por la libertad; por ello se empeñaban en crear un nuevo orden" (xxxi). Lo cual ha llevado a calificar a los movimientos regeneracionistas en América Latina durante la última parte del siglo XIX como la avanzadilla de un "liberalismo conservador" (Hale en Gómez Muller 125).

Historiadores tanto a favor como en contra de la Regeneración coinciden en ver este periodo de la historia colombiana como una reacción al desorden motivado por las reformas liberales de medio siglo (la eliminación de los monopolios, la laicización del Estado, la supresión del ejército central) derivadas de la Constitución federalista de 1863. Para historiadores que defienden el legado del radicalismo liberal, como José Fernando Ocampo, la Regeneración es la "restauración despótica, autocrática y antidemocrática" (167) en contra de la democratización del capitalismo: "Al desorden de la competencia que trajo el capitalismo era para ellos [los regeneradores] la anarquía política y la causa de la guerra y el individualismo pernicioso. Solo la religión católica y el cristianismo social podían salirle al paso a la revolución socialista y al avance del capitalismo por igual" (Ocampo 145). Por el contrario, para defensores del legado nuñista como Eduardo Posada Carbó, Núñez "no entendió el orden como un fin en sí mismo, sino como una condición básica, sin la cual no se puede construir una sociedad. [...] El orden es la base de otros valores, como la libertad y la justicia. El orden es la base del progreso material. Y el orden es la base de la soberanía nacional" (107). En lo que todos coinciden es que, como dice Melgarejo Acosta, "la regeneración es la respuesta al problema de la gobernabilidad" ("Trazando" 302). Un problema que, vistos los eventos que ocurrieron después de que Núñez y los regeneradores asumieran el poder, tampoco se solucionó pues "de las ochos guerras civiles generales que se libraron en Colombia entre 1824 y el final del siglo XIX, cuatro estuvieron relacionadas con la *Regeneración*: las de 1876-77, 1885, 1895 y 1899-1902" (Múnera Ruiz 52). Politizar o despolitizar el orden, ese parece ser el libreto de la historiografía colombiana para condenar o bendecir el legado de los liberales radicales en el poder (1863-1885).

La palabra regeneración está empapada de la corriente positivista de acuerdo con la cual el "organismo social" se comporta igual a un "organismo biológico": "Anterior a su significado simbólico o espiritual, el término 'regeneración' remite inicialmente al campo semántico de lo biológico: regenerar es reengendrar, hacer renacer un ente orgánico" (Gómez Muller 133). La idea de que las sociedades son organismos sociales que funcionan igual que organismos biológicos la tomó Núñez, como el mismo lo reconoce en su ensayo "La sociología: los elementos de este estudio" (400), del pensador evolucionista inglés Herbert Spencer (1820-1903), de quien leyó sus textos durante su prolongada estadía como cónsul colombiano en Liverpool durante los años sesenta (Melgarejo Acosta, *El lenguaje político* 76). Durante esa década los escritos de Spencer eran todavía bien recibidos entre sus contemporáneos, antes de su final descrédito tras la contundente refutación de los darwinistas —específicamente el concepto de "germ-plasm" de Weismann— a toda teoría evolutiva basada, como la de Spencer, en principios lamarckianos que, como tales, defendieran la herencia de caracteres adquiridos (Offer 141).

La influencia spenceriana en el pensamiento de Núñez ha sido abordada por todos sus críticos, desde Jaime Jaramillo Uribe, en 1963 (484), hasta María del Pilar Melgarejo Acosta, en 2010 (72-73). Fundamentalmente en tres escritos suyos, sobre todo en "La sociología: los elementos de su estudio" de 1883, Núñez aborda la obra de Spencer, se declara deudor de ella y califica al pensador inglés de fundador de la sociología entendida como "historia natural de las sociedades" ("La sociología: los elementos" 396). Su evolucionismo, luego matizado en los últimos años de su vida (Jaramillo Uribe 490), seguía siendo manifiesto en los años clave de la crisis final del radicalismo, en los albores de la guerra civil de 1885, tras la cual la Regeneración tomaría definitivamente el poder, expediría la Constitución centralista y católica de 1886 y reduciría al mínimo la actividad de los liberales, desterrando a muchos de sus líderes. En 1883, Núñez escribe copiando, casi a la letra, la teoría de la evolución biológica de las sociedades:

Los hechos históricos deben necesariamente, por tanto, dar nacimiento a las leyes o principios de la historia, y la Historia es una ciencia como la Química y la Botánica, sin otra diferencia que la mayor extensión de su orbita en tiempo y espacio, y la infinita mayor complicaciones, movilidad y ambigüedad de los fenómenos que ella debe verificar, comparar, analizar, resumir, resolver en verdades ("La sociología: los elementos" 393).

Núñez adhería a la teoría evolutiva de Spencer —la llamada "Social Organism Theory"— de acuerdo con la cual las sociedades evolucionaban desde un aparente caos de homogeneidad hacia una heterogeneidad donde primaría la especialización de las funciones de cada individuo en la sociedad, llevándolas (a las sociedades, se entiende) a un punto de perfección donde el individualismo equivalía a la libertad dentro del orden: "Esta [su teoría del organismo social] proponía la existencia de un movimiento temporal desde una relativa homogeneidad hasta una relativa heterogeneidad, acompañada por un proceso de integración, dependiente de funciones en común, lo cual, aplicado a los organismos sociales, debía generar que las sociedades se volvieran más integrales mientras sus partes (unidades) se individualizarían más"[3] (Offer 203).

Núñez ratificaba esta visión, intercalando líneas dentro de sus textos periodísticos en los que decía "Spencer lo ha demostrado: el progreso conduce de lo homogéneo a lo heterogéneo" ("El Nuevo Mundo" 568), para concluir con una imagen que deja traslucir todo su etnocentrismo: la historia de la humanidad es una ruta en la que "se ha caminado desde Zululand a París" ("El Nuevo Mundo" 569). En esa teoría evolutiva a la que suscribía Núñez, el progreso de lo

3. "It [his social organism theory] postulated a movement over time from relative homogeneity to relative heterogeneity, with an accompanying process of integration, dependent on community of function, and this of course applied to social organisms, which duly would become more integral while their parte (units) become more individuated".

homogéneo a lo heterogéneo, del caos a un orden donde "el destino final del hombre es la perfección moral absoluta" ("La sociología: los elementos" 402), sí había posibilidades de perder el rumbo, pues en ese camino "el desarrollo de las sociedades políticas, semejante al del globo que habitamos, no se cumple en inalterable sosiego" ("Sociología" 25). A esa perdida de rumbo, a ese desquiciamiento de la temporalidad normativa hacia la perfección del individuo le cabía, desde luego, otro término biologizante: la degeneración. El movimiento de la evolución, dictado por lo que Spencer llama el ritmo (Offer 141), no es lineal ni imparable, sino ondulatorio, de manera tal que hay cabida para retrocesos o estancamientos:

> El énfasis de Spencer en el ritmo del movimiento de la evolución nos ayuda a ver cómo él ha abierto espacios para concebir movimientos "inversos" y "adelantados" que pueden ocurrir en una misma sociedad y entre diferentes sociedades y razas. En efecto, él abre espacio para una relativa y permanente regresión y degeneración, y para un estancamiento dentro algunas sociedades frente al progreso, más allá de un cierto estado de sociabilidad[4] (Offer 140).

Esta es una teoría en todo distinta de la selección natural y sexual de Darwin, a pesar de que muchos críticos del pensamiento tanto spenciariano como nuñista califican, simplemente, de darwinismo social a la teoría de Spencer. Nada más equivocado. El propio Darwin evadió el término "evolución" prefiriéndo el de "selección natural" (Grosz 24). La crítica Elizabeth Grosz, en *The Nick of Time* (2004), ha mostrado cómo en el pensamiento de Darwin la diferencia siempre estuvo en la nuez de algo así como el origen del origen de las especies. Un tránsito de lo homogéneo a lo heterogéneo, por tanto, quedaría descartado. De tal forma que la evolución, si aceptamos este término, es una minuciosa y compleja "elaboración de la diferencia" (Grosz 24), de acuerdo con la cual nunca hay cabida para un regreso, una involución atávica hacia el pasado o una degeneración: "la evolución nunca retrocede: nunca va

---

4. "Spencer's emphasis on the rhythm of motion in evolution helps us to see how he has made room for 'backward' and 'forward' motion going on simultaneously in a single society, and between different societies and races. Indeed it makes room for the relatively permanent regression and degeneration, and the cessation within some societies to progress beyond a certain state of sociality".

de lo más a menos desarrollado, de más a menos diferenciado"[5] (Grosz 67). Sin embargo, esta proliferación de la diferencia, que responde a una lucha material por la supervivencia (selección natural) y por el éxito reproductivo (selección sexual), nunca es politizada por Darwin bajo los supuestos del *telos* del progreso, un futuro tras el cual está esperándonos a todos el hombre europeo. Grosz insiste en que en el mundo darwiniano todo lo que sabemos sobre el pasado ocurre en retrospectiva desde el presente, y que el futuro siempre es absolutamente incognoscible de manera que "la evolución nunca es libre o desatada ni determinada y predecible con antelación"[6] (92).

Silva frente a la Regeneración

Para el estancamiento o la regresión en la línea del progreso, de lo homogéneo a lo heterogéneo, Núñez cultivó, como veíamos más arriba, imágenes como las del niño anciano o las del tren descarrillado. Sin embargo, hay una imagen que, por su carácter vegetal, me interesa en especial. Es el caso de la "planta anémica", sobre la cual dice: "Se ve, a veces, en un jardín, o en un huerto, una planta que no medra, por más que se le prodiguen cuidados de riego y de poda, y otros semejantes. Al fin se comprende que tiene necesidad de abono; se satisface esa necesidad, y la planta cobra sorprendente lozanía" ("La sociología: los elementos" 407). Núñez pasa, acto seguido, a comparar al país con esa mata que no crece, que no progresa: "Nuestro país se ha encontrado, y aún se encuentra, en ese mismo caso de la anémica planta. El mundo se mueve en el camino del progreso [...]. ¿Por qué su progreso [el de Colombia] es tan lento e insignificante?" (413), para contestarse, a continuación, "[p]orque no ha podido fundar el orden, que es la base primordial de toda obra" (413).

La imagen opuesta a la de esta planta degenerada, que no retoña y es infértil para hablar de un país que no progresa, aparece en una litografía que acompaña la edición de *Poesías* de Núñez de 1889 que revisara José Asunción Silva para escribir su texto "Dr. Rafael Núñez"

---

5. "evolution never reverses itself: it never goes from more to less developed, from more differentiated to less differentiated".

6. "evolution is neither free and unconstrained nor determined and predictable in advance".

(390; *Cartas* 117). Esta extraña ilustración —que acompaña, pero parece no hacer referencia, a un poema titulado "A mi madre"— escenifica una dislocación espacial[7]: un interior estilo inglés, iluminado por la luz de una lámpara, es súbitamente interrumpido —sin la mediación del vidrio— por lo que parece ser una gran mata de plátano u otro árbol de clara fronda tropical que trae consigo una luz meridional a la oscura habitación (ver imagen 5). El propio Núñez, a mano izquierda, aparece en este estudio rodeado de libros, no lee, no escribe, sino que aparece sentado y frente a una silla vacía en medio de la reflexión que le ha causado la lectura. Es imposible no pensar, vistas sus imágenes del progreso como una planta, en que Núñez queda retratado en esta litografía como un jardinero del progreso, es decir, alguien que abona, con su labor intelectual, la planta de la nación para que crezca hasta llegar a civilizarse.

En esta imagen también hay una mujer que contribuye a desordenar el cuadro y a invadir, junto con la espacialidad trastocada de la planta tropical, el interior inglés, donde Núñez reflexiona sobre el presente y el futuro de la nación. Esta imagen, aparte de exhibir la naturaleza tropical dentro de un interior europeo, pone en tensión las relaciones eróticas entre el hombre y la mujer. Aquel aparece de espaldas y frente a una silla vacía mientras esta, junto a una cortina, a lo Rapunzel, lo convida al asalto erótico, y se queda, sin embargo, sin ser correspondida. Esta imagen de un erotismo frustrado que no desencadena, como lo mandaría el orden, en reproducción o fertilidad, trae todos los materiales que Silva pondría en funcionamiento en una figura, largamente ignorada por la crítica silviana[8], que aparece y desaparece durante *De sobremesa*: el invernáculo móvil que tiene en Europa y conserva tras su vuelta a América el poeta José Fernández y Andrade.

El invernáculo móvil de Fernández es la versión degenerada de las fantasías regeneradoras de Núñez, en tanto la naturaleza tropical americana, transportada a Europa, civilizada, tecnologizada y ordenada —la

---

7. Esta ilustración está fuera de lugar en el libro. Las otras litografías sí se corresponden con los poemas que ilustran: un cementerio en un poema sobre la muerte, la estatua de Moisés de Miguel Ángel en un poema llamado "Moisés", etc.

8. La única referencia al invernáculo silviano que conozco es tangencial. La hace Juan Gustavo Cobo Borda y consiste en anotar cómo el dictador exiliado de "*El recurso del método* [la novela de Carpentier] también [al igual que Fernández] tiene en su cuarto unas hamacas colgadas en el invernáculo" ("De Sobremesa" 107).

selva industrializada— no produce "la perfección moral" del evolucionismo spenceriano, sino todo lo contrario: la abulia de fumar opio acostado en las hamacas de ese invernáculo, el excesivo lujo y la infertilidad de relaciones eróticas que contravienen la normativa social. Por otra parte, el invernáculo móvil también sirve para observar la literatura modernista como una tecnología discursiva que, siguiendo a Ángel Rama, Aníbal González y Julio Ramos, es consciente de sus materiales, al punto de que este espacio sirve de citación —para subvertirlo— al tópico del trópico de baja altura colombiano como un lugar transitable e inhabitable. El trópico exhibido en el invernáculo no es el que se deja atrás sino el que sigue, como máximo lugar de confort, a quien lo ha creado y disfruta de él.

De sobremesa es la única novela que escribió J. A. Silva. Fue publicada póstumamente, a instancias de su amigo Emilio Cuervo Márquez, en 1925, después de haber sido dada a conocer parcialmente en la *Revista Moderna* en 1915. Todas las razones son especulativas cuando se trata de explicar por qué Silva no publicó su novela en vida. Tal vez la juzgaba inconclusa o mejorable. Cualquiera que sea el caso, pienso que hay que tener en mente la propia opinión del poeta. Silva pensaba que la pacata Bogotá de entonces no estaba lista para recibir una novela escrita por alguien crítico de su clase, cuando todos en ella se reconocían, incluso, por la calle. Cuentan los biógrafos de Silva que el poeta transcribió la novela de memoria, pues, al igual que otros textos suyos en prosa como *Amor* (Santos Molano 792), pereció en el naufragio del *Amérique*, un vapor italiano en el que Silva regresaba de su estadía en Caracas y en el que pretendía volver a Bogotá después de concluida su tarea diplomática.

La novela de Silva es la historia de una escena de lectura en voz alta. Al volver de Europa y Estados Unidos, un poeta millonario, José Fernández y Andrade, lee a un grupo de amigos suyos, en la sala una mansión en alguna parte innombrada del trópico suramericano, su diario de viaje por los países temperados del norte global. Cuenta en él sus excentricidades de hombre rico en las principales ciudades europeas, sus obsesiones artísticas, sus enfermedades, sus romances, sus planes políticos y su persecución fallida del amor de Helena, una joven a quien ve una noche para volvérsela a encontrar muerta. La crítica ha sido amplia, variada y desigual en el tratamiento de la novela. En un principio, cuando Silva estaba disciplinado bajo el corsé nacionalista de poeta atormentado por los amores incestuosos de su hermana, mantuvo que la novela era caótica y sin estructura aparente (Maya, Sanin Cano); después vio en ella ecos del Des Esseintes de Huysmans en *Au Rebours* (1884) (Orjuela, Achury Valenzuela), luego la elogió como la primera novela modernista y a Silva como a un intelectual latinoamericano (Aníbal González), leyó en Fernández a un dandy en cuyo cuerpo y lenguaje se cuestionan las heteronormativas latinoamericanas (Molloy, "Voice Snatching") y las políticas del cuerpo de la ciencia decimonónica (Giorgi), o, con los trabajos recientes de Melgarejo Acosta (*El lenguaje*) y de Beckman (*Capital Fictions*), vio a la novela, respectivamente, como una desarticulación del lenguaje político de la Regeneración desde una lectura detallada del "pasaje nacional" o como una lectura histórico-alegórica, desde la bipolaridad de Fernández —excesos de vida y mórbidas postraciones— del "boom and bust" de las economías agroexportadoras latinoamericanas del fin de siglo xix. Recogiendo mucho de lo anterior, pero apartándome otro tanto, yo me propongo ver en el tratamiento que hace Silva de la naturaleza tropical a un intelectual consciente de la especificidad histórica del territorio colombiano, adoptando para subvertirlos los discursos geográficos y políticos de las élites civilizatorias sobre el espacio nacional.

El invernáculo móvil de Fernández

Dentro de las muchas posesiones de un millonario como Fernández hay una fantástica por lo imposible: un invernáculo de flora tropical que el poeta transporta consigo por todas sus residencias europeas y también de vuelta en Suramérica, donde toma largas siestas, fuma opio, cultiva orquídeas y practica relaciones eróticas. De pasada, confiesa Fernández: "tengo siempre, esté donde estuviere, unas plantas que cuido mucho para que den flores de esas [orquídeas]" (*De sobremesa* 206). Tanto en Londres como en París, Bogotá o Caracas, Fernández se precia de tener este mismo lugar donde soñar artificialmente, a la manera baudeleriana, "en siestas dormidas en las dos hamacas que hice colocar entre las palmas del invernáculo" (*De sobremesa* 217). Al referirse al invernáculo, la prosa del diario de Fernández copia la itinerancia de este, sin detenerse a describirlo como hace con tantos otros objetos y espacios que lo rodean. El invernáculo espejea en la distancia, uno o dos brochazos de la prosa de Fernández lo nombran, antes de desaparecer, para nunca ser descrito completamente. Uno de sus amigos, Saenz, que escucha a Fernández leer de su diario, es quien habla por primera vez del invernáculo en la novela. Sostiene que ese espacio, como parte del confort que exhibe la casa de Fernández, es el que le impide escribir a su amigo:

> ¿Quieres saber qué es lo que no te deja escribir? El lujo enervante, el *confort* refinado de esta casa con sus enormes jardines llenos de flores y poblados de estatuas, su parque centenario, su *invernáculo donde crecen, como en la atmósfera envenenada de los bosques nativos, las más singulares especies de la flora tropical* (*De sobremesa* 305; cursivas mías).

Por primera vez, a diferencia de Samper o de Caldas, en Silva se opone el confort a la escritura como resultado de la domesticación tecnológica del trópico a través del invernáculo. El trópico de baja altura había sido el lugar donde la escritura y la lectura, en fin, lo que las élites andinas entendían por Cultura, era imposible debido a las altas temperaturas, los mosquitos, las miasmas y la conflictiva relación con cuerpos no hispanos o hispanizables. Aquí la vuelta de tuerca hace del extremo confort del invernáculo como disciplinamiento del trópico de baja altura no un estímulo para la producción, sino su contrario: un generador de molicie y de infertilidad. La reificación de la naturaleza tropical en el invernáculo móvil hace patente la manera en que el confort se ha construido en el trópico en oposición a la historia de la naturaleza tropical a través de una elocuente negatividad: control del clima, supresión de los ruidos y eliminación de sus habitantes.

Sin duda tomando elementos de un espacio retratado por el escritor francés J. K. Huysmans en *Au Rebours* donde el comedor de la casa del personaje principal, Des Esseintes, es adecuado como la cabina de un barco (Huysmans 18), el invernáculo móvil de Fernández es también una máquina para viajar sin viajar, a medio camino entre un vapor y un jardín. Con este invernáculo imposible, Silva propone un espacio cuyo afuera —el clima que controla— es incognoscible porque el espacio que ocupa la casa de Fernández de vuelta en la Suramérica tropical aparece voluntariamente innombrado, no sabemos si es Bogotá, Caracas, Quito o cualquier otra ciudad del norte de Suramérica. El mundo afuera no tiene especificidad espaciotemporal porque la potencia histórica es obliterada por el espacio del invernáculo móvil que viaja dejando atrás las ciudades, haciéndolas intercambiables, tal como la vegetación tropical de los invernáculos londinenses o parisinos en la cual la vegetación en la misma latitud es característica de cualquier país tropical.

Esta negatividad proliferante en la que adentro del invernáculo no hay ruidos ni afuera ciudades, el invernáculo la exhibe de dos formas muy elocuentes en la novela. Por una parte, el cultivo de orquídeas en el invernáculo de Fernández es un sucedáneo de la reproducción pero desde una vía alterna, degenerada, para no entrar en el circuito del progreso, es decir, no necesitar de los otros —del organismo social— para perpetuarse en tanto "el escape de la naturaleza inevitablemente incluye el escape de la procreación biológica"[9] (Hustvedt 22). Por otra parte, el invernáculo no es solo el espacio de la procreación alterna, sino la instancia para escenificar las relaciones eróticas fuera del circuito normativo y estimular, artificialmente, el resurgimiento de un amor del pasado como un rastro atávico, degenerado, que aparece gracias al ambiente del invernáculo: Consuelo y José Fernández, colombianos en París, vuelven a su amor "de casi niños" gracias al clima cálido del invernáculo que les hace recordar su amor de adolescencia en el trópico de Guamis[10].

Orquídeas en París

El cuento "Un cas de divorce" (1886) de Guy de Maupassant narra la historia de un hombre rico que sufre, de acuerdo con el narrador, de "la folie poétique", una condición calificada de "histérica" que lo lleva a construir toda serie de espacios artificiales para suplir su desazón frente a la monótona realidad circundante. Entre ellos son de preferencia suya los invernáculos donde el excéntrico magnate mantiene

9. "the escape from nature inevitably includes and escape from biological procreation".

10. Copiando la artificialidad del invernáculo, el nombre de Guamis se parece al de varias poblaciones de "tierra caliente" –por ejemplo, El Guamo, Tolima—, pero no existe. Es posible que Silva haya tomado el nombre de su lectura de los textos que sobre la Nueva Granada escribió el francés Élisée Reclus en 1892 y que fueron traducidos al español por el geógrafo F. J. Vergara y Velasco al año siguiente. En ellos Reclus se refiera a los indígenas guamí (Reclus 144).

orquídeas "de países malsanos" como si se tratara, dice, de mujeres de su harem particular. El cuento está construido sobre la voz del abogado de su recién casada esposa quien, basándose en perturbadoras entradas del diario del millonario, exige el divorcio, pues el hombre rechaza a su mujer, inclusive agrediéndola físicamente. La obsesión por las orquídeas de los países tropicales, su erotización, frustra la consumación de su matrimonio al punto de que el millonario continúa siendo virgen.

Al igual que el invernáculo del cuento de Maupassant, el de Fernández no es un lugar "regido por la eficiencia y la utilidad, destinado a la manipulación de la naturaleza" para su producción comercial (Perus 79). Por el contrario es un espacio de eficiencia inútil donde el poeta es el operario, convirtiéndolo, como si fuese el envés del ingeniero en tanto ser improductivo que solo consume (Perus 80), en un creador de espacios para la depravación moral y el goce erótico fuera de la normativa social reproductora. La autonomización de los espacios del arte en el Modernismo y la consecuente creación del escritor como intelectual, pasa por la creación de espacios, como el invernáculo, donde no someter la energía sexual al poder disciplinante de la reproducción y del matrimonio, dos de las instancias a las que se rehúsa a doblegarse Fernández: "El amor que Fernández profesa por Helena no cabe dentro de la institución matrimonial, la cual, para él, le otorga al amor una tarea económica: la reproducción" (Melgarejo Acosta, *El lenguaje político* 115). Negarse a entrar en el caudal reproductivo de la sociedad, independizarse del "organismo social como organismo biológico" de los spencerianos no solamente se escenifica en la particular economía reproductiva del invernáculo donde las flores se reproducen por fuera de su ambiente —por puro placer y no por negocio[11]— sino

11. Aparte de la sexualidad normativa, matrimonial, reproductora y casta, a las que se opone la espacialidad del invernáculo cultivado por Fernández, también se opone a la narrativa de un negocio botánico tan en boga por los años en que Silva vivió. Me refiero a los famosos "cazadores de orquídeas", mayoritariamente ingleses, que venían de exploradores, para llevarse consigo, en contenedores aclimatizados, las apetecidas *odontoglossum* para venderlas a la alta burguesía que las coleccionaba en jardines de invierno. Sobre este fascinante tema el único que ha escrito un cortísimo pero delicioso ensayo es Malcolm Deas, quien trazó someramente el intríngulis económico de la casa William Bull de Chelsea y su millonaria comisión a Albert Millican, un inglés cazador de orquídeas que escribió *Travels and Adventures of an Orchid Hunter* (1887). Para quien quiera perseguir este hilo de la fascinación europea por las orquídeas —y sobre

también de las prácticas sexuales humanas que en el espacio artificial del invernáculo no requieren ninguna bendición institucional para consumarse.

En su invernáculo móvil, José Fernández tiene un romance con Consuelo, una paisana suya casada, que fuera su antigua novia años atrás en su país. En París se reencuentran de nuevo. Como contravención a las normas sociales, el ambiente artificial del invernáculo tropical retoma su espacialidad emancipadora —se convierte esta vez en una heterotopía foucaultiana— si entendemos con Hetherington que las heterotopías son "máquinas deseantes"[12] (40), en el sentido que, vistas desde afuera hacen evidentes los deseos (de exterminio o de emancipación) de quienes las inventa y habitan. Este espacio les permite a los amantes revivir sus viejos amores de otra época: "casi niños ella y yo, una tarde deliciosa, una tarde del trópico, de esas que convidan a soñar y a amar con el aroma de las brisas tibias y la frescura que cae del cielo" (*De sobremesa* 483). Rivas, el esposo de Consuelo, pensando que Fernández era un hombre casto (el Casto José es llamado, con sorna, por sus paisanos en París), deja a su esposa a su cuidado mientras él se escapa para tener relaciones sexuales con mujeres parisinas. Manteniendo las apariencias, de manera artificial, Fernández y Consuelo no demoran en hacerse amantes. Después de darse besos por primera vez "en el fondo del invernáculo desierto donde la llevé por unos segundo la noche del baile" (*De sobremesa* 483), Fernández vuelve a visitar a Consuelo llevando consigo un ramo de orquídeas cultivadas en ese mismo invernáculo. Al ver estas flores, de pronto, en París, Consuelo dice: "¿Qué primor me traes, José?... ¿Flores? ¡Dios mío!... ¿Y dónde consigue usted flores de nuestra tierra en París, José?..." (*De sobremesa* 483). Entonces, Fernández, poniendo en juego lo que el llama "mi comedia de sentimentalismos", le dice que siempre ha recordado esos paseos por el trópico de Guamis donde caminaban juntos, besándose y admirando "las parásitas rosadas que colgaban de la rama de un arbusto". Extraídas de su invernáculo, Fernández, continuando con su

todo su correlato fetichizador del trópico— es fundamental un texto de viajes llamado *A Year in the Andes or Adventures of a Lady in Bogotá* (1882) de Rose Carnegie-Williams. En unas páginas de un ecologismo precursor, Élisée Reclus denuncia la deforestación producida por los cazadores de orquídeas durante el fin de siglo XIX en Colombia (Reclus 121-123).

12. "desiring machines".

impostura, le dice que ese ramo de flores que ahora le regala en París lo constituyen: "flores de Guamis, Consuelo, le dije... De esa tarde tengo siempre plantas de ésas en casa para respirar en su olor el beso de entonces, que ha sido el minuto más feliz de mi vida" (*De sobremesa* 484). Consuelo cae prendada bajo el efecto de este artilugio, tras lo cual Fernández la invita a su invernáculo "donde haremos de cuenta que no estamos en París y respiraremos en el invernáculo el olor de nuestros bosques" (*De sobremesa* 486). Morigerando sus miedos, diciéndole que nadie se daría cuenta de la infidelidad, porque en París es fácil ocultarse, tal vez como en los bosques, Fernández logra que vaya al invernáculo y anota en su diario:

> vino y fue mía; y después ha venido dos veces, sin pedírselo casi, porque ha querido, porque necesita caricias como necesita respirar, y porque el otro, el hombre astuto de las maquiavélicas combinaciones [se refiere al infiel Rivas, esposo de Consuelo], anda cenando con sus horizontales [las parisinas], que le están comiendo medio lado, y tiene abandonada esa flor de sensualidad y de inocencia, que se pasa muchos días y muchas noches sola, porque no tiene casi relaciones en París (*De sobremesa* 486).

Así, el invernáculo es también el lugar donde vivir una moralidad alternativa. La infidelidad de Consuelo se justifica debido a la infidelidad de su esposo, consagrando este espacio como el de la vindicta y el resarcimiento de las hipócritas relaciones sentimentales de una burguesía que condena y perdona dependiendo del género sexual. Tal como lo ha hecho notar Gutiérrez Girardot, la tecnología sobre la naturaleza la desacraliza, pero también la saca de la moralidad (*Modernismo* 79-81). El invernáculo de Fernández es un espacio para volver al pasado y revivir un amor con Consuelo, no ya en Guamis sino en París, pero subvirtiendo una escala de valores que no evade el presente sino que lo interpela: allí José y Consuelo le hacen justicia a la infidelidad de Rivas.

El invernáculo como un espacio de la venganza (también para Fernández, de quien se burlan sus coterráneos en París) y de la provocación, es un espacio degenerado donde escenificar la contranarrativa al discurso normativo de la reproducción y la disciplina familiar tal cual dictada por el discurso regeneracionista que veía en el orden la regeneración de los cuerpos (Beckman, *Capital Fictions* 196). Pues ante tales pretensiones, Silva le opone un espacio tropical ordenado, donde, sin embargo, a pesar de haber conjurado el desorden y acariciado la heterogeneidad de la individualidad en Fernández, tal como prescribía el spenceriano Núñez, no se llega a la moralidad sino a su contrario. El cuerpo de Fernández es un cuerpo moderno, blanco, disciplinado, de finas sensibilidades europeas que es, no obstante, un cuerpo degenerado. La figura de un Fernández degenerado producto de un espacio como su invernáculo es una paradoja inasimilable para el discurso evolucionista de la Regeneración. Con este interior degenerado, Silva abre la posibilidad de imaginarnos un futuro alterno al evolucionismo al uso, lo que implica cuestionar, desde sus raíces, el presente desde el cual nos lo estamos imaginando.

Lo lujoso como espacio de conocimiento

En el mismo año del suicidio de Silva, el hermano de José María Samper, Miguel Samper, escribe "Retrospecto" (1896), un texto ineludible para entender la Bogotá de fin de siglo. En él Samper hace una puesta al día de sus pesimistas observaciones treinta años antes sobre la pauperización de la capital de Colombia en "La miseria en Bogotá" (1867). "Retrospecto" es un texto donde ya no se condena a los mendigos, sino a las élites masculinas que, rodeadas por un lujo visto como amenazante, han devenido en seres improductivos en un doble sentido de infertilidad y de falta de producción de capital. Esta es una doble infertilidad de la cual, de acuerdo con el liberal Miguel Samper, cabe culpar al lujo como principal amenaza tanto para la gobernabilidad del país como para la virilidad de sus gobernantes (Beckman, *Capital Fictions* 283). El liberalismo, al igual que el discurso regeneracionista, veía el lujo como un aviso de miseria futura, de decadencia, porque se cifraba, de acuerdo con Núñez, en consumir más de lo que se produce (en Palacio Castañeda 123). Así ve Miguel Samper los interiores capitalinos que seguramente frecuentaba Silva. Su caracterización es parecida a los interiores desde los cuales lee Fernández su diario a sus amigos:

> Si de los edificios pasamos a la ornamentación de los salones, los hallaremos convertidos en caricaturas de museos. Exhíbense en ellos los objetos

más extraños: conchas de cetáceos al pie de las consolas, caballetes para pintor, bastoncitos dorados para suplir las silletas, las mejores zarandajas en que consisten los regalos de boda, y hasta biombos [...] en tales establecimientos, en los cafés y los restaurantes, *los caballeros de la vida alegre se dedican mutuamente a almuerzos y cenas, quedando el bello sexo privado de participar de aquellas golosinas, que rara vez llega al desamparado hogar* (158-160; cursivas mías).

Aunque todavía era un villorrio que languidecía en la falda de los Andes, la Bogotá de Silva, por gracia de la creación del Banco Nacional por parte del gobierno de la Regeneración, se convirtió en un lugar para la especulación inflacionaria a la que dieron lugar el reemplazo del patrón oro y plata por la emisión desaforada de papel moneda, al punto que, a falta de papel donde imprimir el dinero, se usaban envolturas de chocolate (Beckman, *Capital Fictions* 189). En "El paraguas del padre León", una de las prosas más interesantes de Silva, el poeta se ocupa de representar ese momento de transición entre "el Santafé inocente y dormilón de 1700" y "el lujo de la Bogotá de hoy, de las emisiones clandestinas, del Petit Panamá y de los veintiséis millones de papel moneda" ("El paraguas" 363). Localizándose en el medio de ambas temporalidades, el poeta observa desde afuera, detenido, esa aparente "época de transición" (Perus 93). En el mismo espacio de Bogotá, por una parte, el poeta ve impasible al Padre León, un afable cura que baja por la acera de la calle cubriéndose de la lluvia con un paraguas enorme, y por la otra, un "coupé que parecía una joya de ónix, manejado por un cochero inglés correcto y rígido [...] era el coche [...] del ministro X que vendió por seis mil libras esterlinas sus influencias para lograr tal contrato escandaloso" ("El paraguas" 363). El lujo, sin embargo, se abre como esa espacio-temporalidad detenida que permite, a su vez, entender esas dos temporalidades tan aparentemente irreconciliables, congelándolas como una imagen para entender una realidad que se ofrece engañosamente como dislocada. Escribe el poeta:

El siglo diez y ocho encarnado en el Padre León; el siglo veinte encarnado en el omnipotente X, vistos ambos, en menos tiempo del que había gastado en convertirse en humo aromático el tabaco dorado del cigarrillo turco que tenía en los labios, vistos ambos a la luz de la lámpara Thomson-Houston, que irradiaba allá arriba entre lo negro profundo su luz descolorida y fantasmagórica... ¿No vienen siendo las dos figuras como una viva imagen de la época de transición que atravesamos? ("El paraguas" 364).

Detenerse en la ascensión del "humo aromático del tabaco dorado del cigarrillo turco", que contrasta con la rapidez del movimiento de los transeúntes, crea una imagen por fuera de "la viva imagen de la época de transición que atravesamos" —esa del coche a toda velocidad en contraste con el cura caminado— para dejarnos ver al poeta detenido en la calle, aureolado por el humo, debajo de un farol cuya marca conoce y pondera (Thomson-Houston), proponiendo el lujo como espacio para la meditación desdeñosa de esa fugacidad del progreso que detiene en su escrito. De acuerdo con Gerard Aching, la experiencia de lo moderno para los modernistas hispanoamericanos pasa por esos "significantes vacíos", tenidos por puro "arte por el arte", como "lo esotérico, lo efímero, lo voluptuoso, la preocupación con la moda, las auras, y las impresiones pasajeras, todas eran en realidad las maneras en que los modernistas registraban la experiencia de lo moderno"[13] (Aching 147). El lujo, el espacio de meditación detenida, languidez aparente que es reflexión, toma forma completa en la espacialidad del invernáculo móvil, donde se interrumpe la progresión del tiempo en su decurso lineal, convirtiéndola en aberrante y, por eso, también, degenerada.

El invernáculo de Silva no es tecnología operando sobre la naturaleza, sino literatura que muestra las maneras en que la tecnología ha empañando las relaciones de la sociedad industrial con su medio. Por ello, sobre el invernáculo móvil de Fernández podemos decir lo mismo que dice Julio Ramos sobre la relación que los modernistas establecieron entre la estética y su entorno: "la naturaleza está pasada por la literatura, llena de referencias, la literatura acá es un tecnología, esa mediación entre el reino interior y el supuesto mundo exterior de la naturaleza" (Ramos, *Desencuentros* 171). En Silva, la creación de un espacio que se contrapone con el afuera y el adentro al mismo tiempo, no se resuelve en una evasión, en un aparente divorcio entre el interior

---

13. "the esoteric, the ephemeral, volupté, the preoccupation with fashion, auras, and fleeting impressions, were in fact the ways in which the *modernistas* registered their experience of the modern".

modernista y el exterior "amenazante", sino en su contrario: una radical interpelación a los discursos políticos de su momento. Gracias a la tecnología literaria del invernáculo móvil, Silva parodia la convención elitista de representar al trópico de baja altura como un lugar de tránsito, crea un espacio imposible que exhibe tal representación —el trópico de baja altura como un lugar de tránsito— como un puro artificio ideológico. Así, operando críticamente sobre el discurso de las élites, Silva hace del haz envés, convierte la carente abundancia del trópico —tal cual visto por Caldas, Samper y sus epígonos, por ejemplo— en una abundancia lujosa que, a pesar de estar bajo el monopolio de un blanco, se muestra carente de toda moralidad, provecho económico o utilidad comercial.

El invernáculo sin vidrio

Como muchos intelectuales latinoamericanos en Europa durante el siglo XIX —exiliados, de negocios o en funciones consulares— Rafael Núñez desplegó en su momento narrativas de salvación para Colombia a partir de lo que observaba en Europa. Convencido de que tenía que volver para cambiar el país y que para hacerlo debía retornar a sus funciones políticas, mientras está en Francia escribe en carta a su amigo Salvador Camacho Roldán: "Me pregunta Ud. si deseo regresar i categóricamente le responderé: Sí!! Porque no deseo otra cosa, pero yo no puedo regresar sino a virtud de una elección para el Congreso, o en caso de gran conflicto político. Creo que Ud. me dará la razón. En cualquiera de las dos eventualidades no vacilaría un instante en abandonar estas latitudes" (en Del Castillo, 71). Casualmente, las elecciones y el "gran conflicto político" son las dos variaciones del plan que José Fernández contempla para llegar al poder; un plan que concibe en Interlaken, Suiza, y sobre el cual escribe una entrada en su diario (la del 10 de julio) que leerá a sus amigos una vez vuelva al trópico americano.

En esta muy comentada entrada, volviendo sobre el tópico del "regreso patriótico" (Frédéric Martínez 336) para salvar al país desde Europa, José Fernández fantasea un plan para civilizar el trópico americano en tiempos del fracaso de la construcción del canal de Panamá —entonces, parte de Colombia— a cargo de la compañía francesa de

Ferdinand de Lesseps. Entiéndase por "civilizar", en la parodia de Silva, europeizar en su más tosco sentido: trasplantar Europa al trópico americano, literalmente, a pesar del clima, de sus gentes y de su vegetación, en suma, de su historia, para dejarlo "convertido en una nueva Suiza" (Melgarejo Acosta, *El lenguaje político* 114).

Huyendo de los placeres, el lujo y también de sí mismo, Fernández sube a las alturas de los Alpes suizos a "un sitio inaccesible donde no llegan turistas, una garganta salvaje de monte" donde decide recluirse, viviendo fuera de todo lujo en "una casucha de madera tosca, habitada por una pareja de viejos campesinos" (*De sobremesa* 342). En esa evasión campestre donde pretende Fernández desintoxicarse, Silva escenifica la tensión entre degeneración y regeneración, espacializándola entre la ciudad enervante y la estadía terapéutica en el campo (Fernández-Medina 69). Irónicamente, como lo han visto María del Pilar Melgarejo Acosta y Ericka Beckman, será en este lugar donde Fernández, un degenerado, "desenmascará al regenerado mostrándole que está en un momento de delirio no asumido" (Melgarejo Acosta, *El lenguaje político* 114). Es en el *locus* regenerativo de la campiña Suiza donde Fernández cae en un rapto escriturario —que no tiene nada de calmante, sino de enervante— para escribir, de un solo envión, lo que Melgarejo Acosta ha denominado felizmente el "pasaje nacional" (*El lenguaje* 281) y Ericka Beckman ha llamado un "ensueño agroexportador" ("export reverie")[14] (*Capital Fictions* 36).

En esta entrada del diario, Fernández propone el reemplazo de la historia de la América tropical por la de Europa bajo la forma, por una parte, de una biblioteca donde se hermanen los textos americanos y europeos y, por otra, de un paisaje tropical jardinizado, un invernáculo sin vidrio. La posibilidad burlonamente distópica de una Neo-Europa tropical[15] es fruto precisamente de la borradura de la geografía tropical

14. Como lo reconoce Beckman, la formulación "export reverie" está inspirada en las "industrial reveries" que Mary Louise Pratt en *Imperial Eyes* (1992) ha identificado como características del discurso de los viajeros extranjeros en África y América Latina.

15. En su interesante, pero problemático texto, *Ecological Imperialism: The Biological Expansion of Europe (900-1900)*, Alfred W. Crosby sostiene que donde quiera que el clima no se le oponía a los europeos estos colonizaron estos lugares, convirtiéndolos, a pesar de estar lejos de sus moradas originales, en neoeuropas. Ignorando los procesos culturales y esencializando la raza, por tanto, Crosby sostiene que en latitudes donde el clima operaba para convertir el territorio en lugares parecidos a los europeos occidentales —como el cono sur de América y África, Australia y Norteamérica— los

a través de una horizontalización del espacio producida, de acuerdo con el delirante plan de Fernández, por una revolución en los transportes, por la muerte "de miles de infelices indios" y por la invasión biogeográfica del trópico de agricultura vertical. La continuidad entre los Alpes suizos y el trópico suramericano que se escenifica en el "pasaje nacional" es el trayecto de la fantasía de Fernández —de América a Europa y de vuelta a ella—, una linealidad horizontal para unificar, con "el aplastante rodillo denominado modernización" (Parsons 52), ambos continentes. Ante una espacialidad representada como espesa y detenida —"el suelo pantanoso, nido de reptiles y fiebres" (*De sobremesa* 352)— Fernández se propone obliterarlos mediante la introducción de "blancos y rápidos vapores que anulen las distancias" (*De sobremesa* 352). Anular las distancias, que es otra manera de borrar el espacio, paradójicamente, no logra hacer del trópico de altura una economía integrada sino todavía dividida donde se dan todas las producciones del mundo, reeditando de nuevo el tópico caldasiano de la feracidad del trópico neogranadino. Sobre el trópico de altura, Fernández observa, como lo quería Caldas y sus émulos, una economía cosmopolita donde se dan todos los productos de la biota planetaria pero de forma segmentada. Fernández escribe en su fantasía civilizatoria:

> En aquellos climas [de los Andes tropicales] que van desde el calor de Madagascar, en los hondos valles equinocciales, hasta el frío de Siberia, en los luminosos páramos donde blanquea la nieve perpetua, surgirán, incitados por mis agentes y estimulados por las primas de explotación, todos los cultivos que enriquecen, desde el banano cantando por Bello en su oda divina hasta los líquenes que cubren las glaciales rocas polares; todas las crías de animales útiles desde avestruces que pueblan las ardiente llanuras de África, hasta los rengíferos del polo (*De sobremesa* 350).

Hacer de los Andes tropicales una reunión de todas las producciones del mundo es el paso previo para aclimatar en ella a los inmigrantes,

europeos pudieron adaptar y, en muchos casos trasplantar, su biota, reproduciéndose y eliminando a las poblaciones nativas gracias a sus armas y a las enfermedades que los acompañaron. En el trópico Americano de baja altura —en el de alta él hace una excepción con Costa Rica, en donde se consiguió una relativa neoeuropeización tropical— se dio un proceso, dice él, no de neoeuropeización, sino de neoafricanización debido al clima, la humedad y las enfermedades de estos lugares (Crosby 141).

convirtiendo al trópico no en una Neo-África o Neo-Asia, sino en una Neo-Europa donde los europeos —y no los americanos, porque el cambio se fantasea desde Europa para los europeos— reconocerán su lugar de procedencia. En la fantasía de Fernández, la única manera en que el trópico puede convertirse en Europa es dejar de serlo, anularlo y convertirlo en "el risueño *home*" donde recibir al "extranjero adornada [la ciudad] con todas las flores de sus jardines y las verduras de sus parques" (*De sobremesa* 352).

El cambio de la biota tropical para hacer del trópico americano Europa, pasa por un cambio de las ciudades. La capital cambiada "como transformó el barón Haussman a París" (*De sobremesa* 352), lleva, asimismo, a decorar la ciudad con "las estatuas de sus grandes hombres [europeos]" (*De sobremesa* 352), para terminar erigiendo en ellas "bibliotecas y librerías que junten en sus estantes los libros europeos y americanos que ofrecerán nobles placeres a su inteligencia" (*De sobremesa* 353). El corolario a este *continuum* entre la historia europea y la americana, se sellará, después de esta radical transformación que es un verdadero genocidio ecológico y cultural, con la escritura de los textos nacionales que tengan un "sabor netamente nacional". Esa novela nacional —que es una verdadera orquídea de clima artificial— naturaliza la violencia como génesis de algo que llamamos cultura nacional.

Silva, lector de Samper

Como vemos, Fernández quiere trasplantar a la realidad las metáforas privilegiadas del pensamiento geográfico colombiano. Por eso es tan importante, y en nada aleatorio, que Silva haya decidido que Fernández conciba su plan en Suiza y no en otro lugar. Cultivado en los textos geográficos de José María Samper, pero también en otros de escritores extranjeros como Élisée Reclus[16], hizo carrera durante todo

---

16. En su monumental *Géographie universelle* (1874-1894), publicada por tirajes en el espacio de 20 años, Reclus dio a conocer sus apuntes —en otras partes también publicados como libro (sobre su visita a la Sierra Nevada de Santa Marta en 1861, por ejemplo)— sobre su estadía en la Nueva Granada. En 1893, el geógrafo colombiano F. J. Vergara y Velasco publicó sus traducciones de algunos capítulos referidos a esa estancia de Reclus. Significativamente, allí se encuentra el tópico (pero acuñado por un europeo) de igualar la tierra tropical de altura con Europa y, especialmente, los Andes con Suiza. Escribe Reclus al respecto: "Estas diversas especies, a pesar de la altura a que

el siglo XIX la comparación entre la geografía de Suiza —y Suiza como modelo político también[17]— con los Andes colombianos. En su viaje a Suiza, José María Samper se da cuenta de que las montañas de Suiza "nos harán evocar a cada momento la imagen querida de la patria" (*Viajes* tomo II, 8). Desplegando un lenguaje calcado de la descripción caldasiana de los Andes tropicales, pero sin la variedad climática, da razón de estas similitudes entre Colombia y Suiza al escribir: "[Suiza ofrece] los más variados paisajes de topografía y vegetación, desde el profundo valle y la ondulosa planicie hasta las agujas graníticas, negras y completamente abruptas, y las cúpulas de nieves eternas que se pierden en los abismos de la atmósfera, casi jamás holladas por el hombre" (*Viajes* tomo II, 26). Al hacer una lectura *queer* de la voz de Fernández a través de sus lecturas y re-escrituras de la voz Maria Bashkirtseff, Sylvia Molloy emplea el término "voice snatching" (robo de la voz) para evidenciar un "deslizarse entre citar y personificar"[18] ("Voice Snatching" 18). Con su Fernández, Silva no solo personifica a Bashkirtseff, sino a Samper también. En sus *Viajes de un colombiano en Europa*, Samper relata su paso por Interlaken —el lugar más "cosmopolita" de Europa (*De sobremesa* 360), de acuerdo con Fernández, quien sigue los pasos del político liberal— describiéndolo como "un pedazo de algunos de esos elegantes arrabales compuestos de palacios y quintas que se ven en los alrededores de Londres, París y Berlín" (*Viajes* tomo II, 155). Esta cita de Samper deja ver un deseo encubierto: la posibilidad de una ciudad europea sobre las montañas, una

crecen, presenta fisonomía tropical, pero en la cercanía de las niveles, más arriba de los 4000 metros, casi la mitad de las plantas recuerdan la flora de los Altos Alpes de Europa; en ciertos punto el Viejo creía estar en los elevados valles de la Engadina" (118). Es posible que Silva conociera textos de Reclus, no solamente por esta traducción, pues él manejaba el francés, sino porque sus textos eran de recibo dentro de los círculos letrados de entonces en tanto confirmaban muchas de las apreciaciones de los intelectuales conservadores y liberales de la época sobre la espacialidad del país. A pesar de sus ideas políticas, Reclus ponderó muy positivamente en su momento el *Ensayo sobre las revoluciones políticas* (1862) de Samper, reseñándolo como "el primer tratado comprensivo sobre Colombia" (Langebaek Rueda "La obra de José María Samper" 205).

17. En su texto *El programa de un liberal* escrito desde Suiza para la Constituyente radical de 1863, Samper enaltece a Suiza como modelo federativo para Colombia: "la fórmula democrática que se acerca más a la justicia y la naturaleza de las cosas es la que existe en Suiza. Sin embargo, debemos modificarla, por la composición de nuestra sociedad" (*El programa* 20).

18. "slippage between quoting and impersonating".

fantasía que promete materializar, a su vez, un largo sueño de las élites colombianas: la Europa andina —un espacio utópico que Samper solo insinúa— pero que Silva captura para hacerlo manifiesto en el plan a través del cual Fernández busca convertir el trópico en Europa.

De esta manera, el "robo de la voz" que Fernández hace de Samper y su deformación en un discurso afiebrado por el progreso, muestra las tretas de las que se vale Samper para introducir, ahistóricamente, una visión de la Europa alpina en la Colombia andina, a través de la parodia de sus planes civilizatorios. Por ejemplo, donde Samper escribe: "¿Para qué las fortificaciones, si lo que más deseamos es que nos invadan legiones de inmigrantes, de ingenieros, artesanos, agricultores y negociantes?" (*Ensayo* 123), Fernández lo copia, pero lo deforma, exagerándolo en su diario con un: "[la inmigración] afluirá como un río de hombres, como un Amazonas cuyas ondas fueran cabezas humanas y mezcladas con las razas indígenas [...] poblará hasta los últimos rincones de estos desiertos" (*De sobremesa* 351). En un gesto modernista, Silva interrumpe el discurso de la modernización a través de la parodia desplegada en la fantasía civilizatoria de Fernández. Con esta interrupción nos hacemos conscientes de que el lenguaje es "una casa dotada de un pasado y una materialidad en el presente" (Aníbal González 25), una materialidad que adopta las formas y los espacios de la tradición para mostrarnos a la literatura cooptando otros discursos, en este caso geográficos y políticos, como una máquina epistemológica que opera a través de la citación y la parodia.

En Silva, el trayecto hacia la escritura de la novela nacional pasa por la "invasión" de la civilización europea al trópico americano. Así, la invención de la "cultura nacional" no solamente es un ejercicio a través del cual Silva empapa a los productos culturales de su carga ideológica, historizándolos, sino que es un comentario, sazonado con altas dosis de humor negro, sobre la habitabilidad del trópico de baja altura. La escritura de la literatura nacional mientras se está rodeado de "jardines y bosques de palmas" —no de selvas— es el resultado de horizontalizar la geografía y hacer del trópico alto y bajo una horizontalidad continua. Esta es una fantasía que se cumple únicamente a través de un acto de violencia absoluta: el trópico se puede europeizar en tanto sea eliminado como tal. Trasplantar Europa a América equivale a arrancar el trópico de raíz.

Tal cual imaginada la geografía de una Neo-Europa tropical cumple a cabalidad con el diagnóstico que Germán Márquez, en *Mapas de un fracaso: naturaleza y conflicto en Colombia* (2004), hace sobre la manera en que se ha manejado el trópico colombiano desde patrones culturales de las zonas templadas del globo. Hoy en día el trópico de Colombia "resulta de la destrucción para extraer recursos, sanear el clima y abrir las tierras para adecuarlas al modelo imperante, europeo o norteamericano, capitalista, de extensos campo de cultivo y cría adaptados a la producción homogénea de bienes demandados por las economías de escala, sin tener en cuenta la heterogeneidad real" (Márquez 91). Podemos decir, sin miedo a equivocarnos, que la fantasía civilizatoria de Fernández, el invernáculo sin vidrio, se ha convertido en distopía real en Colombia más de cien años después de ser descrita en *De sobremesa*.

Capítulo 4

Héroes de la civilización: La Amazonía en la obra del general Rafael Reyes*

En su libro de viajes *Las dos Américas* (1914), el general Rafael Reyes (1849-1921) cuenta que fue invitado por el almirante Robert Peary[1], descubridor del Polo Norte, a un banquete en el Explorer's Club de la Universidad de Columbia, en Nueva York, para relatar sus exploraciones por el Putumayo (1875-1885) frente a un público de "notables exploradores, historiadores, geógrafos y hombres importantes en los diversos ramos del saber humano" (*Las dos Américas* 73). Antes de compartir su charla, Reyes nota cómo el salón de banquetes había sido "adornado con exquisita gracia, con sus muchas plantas y sus bellísimas flores, hacía pensar en una floresta tropical; en el menú tuvieron la delicadeza de color una fotografía que representaba el Capitolio de Bogotá y una bella vista del Valle del Cauca" (*Las dos Américas* 73). La

* Una version anterior de este capítulo apareció como ensayo en el *Anuario Colombiano de Historia Social y de la Cultura* (Universidad Nacional de Colombia) 40.2 (diciembre 2013): 145-177

1. Hay que recordar que, aparte de Peary, Reyes es contemporáneo de los famosos exploradores del África, Henry Morton Stanley y David Livingstone, y de Cecil Rhodes. Sloterdijk califica los "descubrimientos de finales del siglo XIX" en África y los Polos como "la expresión más pura del delirio letrado" (134) en que se competía, conscientemente, por la fama y el reconocimiento de los pares y del público en general. En Suramérica, Reyes tomaría esta antorcha de descubridor pero con un aditamento que lo hace más complejo: se interna en el propio espacio nacional y las dinámicas discursivas de su construcción ideológica, lo cual lo hace más afín con otro descubridor, este del inconsciente (134): Freud, quien para Sloterdijk pertenece también a los hacedores de imperio a la manera de Stanley, Rhodes o Livingstone.

adecuación del salón de conferencias neoyorquino como una floresta[2] tropical donde la civilización es posible —de ello hablan elocuentemente las fotos que ilustran el menú: la arquitectura bogotana y el valle cultivado del Cauca— me interesan en tanto hablan elocuentemente de un obsesión constante del pensamiento espacial del general Reyes y también de sus contemporáneos: ¿Cómo integrar la selva amazónica al proyecto civilizatorio global?

En este capítulo quiero mostrar cómo Reyes trata, fatigosamente, de responder a esta pregunta. A partir de una fantasía agroexportadora según la cual la selva amazónica es cruzada por ferrocarriles y barcos de vapor —convertida en un reino de la eficiencia comercial— Reyes imagina la Amazonía como una cosmópolis donde se reúnen todas las razas del planeta para hacer allí fortuna a partir de la exportación de minerales y frutos del trópico. Sin embargo, las particularidades históricas del trópico amazónico se interponen en sus fantasías. La conceptualización de la fiebre tropical —todavía a caballo entre concepciones climistas y miasmáticas hipocráticas del siglo XIX y las nuevas teorías higienistas provenientes de la medicina tropical mansoniana— llevarán a Reyes a delatar su cosmópolis como un intrincado campo vertical caracterizada por una división climática y racial del trabajo: los blancos en el clima "benéfico" de las alturas, las demás "razas" en las planicies amazónicas de clima "insalubre"[3]. La paradoja de una cosmópolis segregacionista muestra cómo la fantasía de la civilización amazónica en Reyes, antes que ser una utopía redentora, es una geografía (neo)colonial donde leer las tensiones entre civilización, nación y trópico en la Colombia de finales de siglo XIX.

2. La palabra floresta, en lugar de selva, ya denota un disciplinamiento total del trópico, al punto que ya deja de serlo. Es un arreglo floral.

3. Esta es, lógicamente, una reedición el mapa etnoclimático caldasiano (ver capítulo 1) traspuesto a escala regional en el Amazonas.

Rafael Reyes, profesor de la velocidad[4]

Es lugar común de los historiadores y críticos literarios del fin de siglo colombiano tener por prueba del ensimismamiento de las élites andinas que dos de sus grandes intelectuales, los conservadores Miguel Antonio Caro y José Manuel Marroquín, —gramático y latinista el primero, el otro costumbrista excepcional— nunca hayan conocido el mar (Lemaitre 165; Bergquist 154; Palacios 74). Todo lo contrario a ese otro conservador que fue Rafael Reyes, explorador del Putumayo y exportador de quina y caucho, militar en las guerras del 85 y 95, un hombre de poca educación formal, nacido y educado en la conservadora provincia andina de Tundama, en Boyacá, sin grandes abolengos ni genealogías[5]. El historiador Eduardo Lemaitre llamó al presidente Rafael Reyes (1904-1909) un "ave rara" (365) en medio de la clase política colombiana de entonces. Anotó también cómo a Caro le impresionaba "la extraordinaria movilidad de Reyes" (341), un hombre que desentonaba en la muy letrada y provinciana Bogotá de la Regeneración, una suerte de República Hispana Independiente de latinistas, gramáticos y traductores en medio de un país llevado y traído por las guerras civiles, la inflación monetaria y la fiebre amarilla.

No me parece, sin embargo, que Reyes pueda ser simplificado como un anti-Caro en tanto "hombre de acción" (Lemaitre 92) u "hombre que se lo debe todo a sí mismo" (Ibáñez 450), como podría pensarse. Por el contrario, me parece que el proyecto político de Reyes lleva a su fruición —y más cerca de la realidad que nunca durante el siglo XIX— el proyecto civilizatorio de la élite política nacional sin distinciones de partido: integrar el territorio nacional a las dinámicas del capitalismo internacional a través de la agroexportación de productos tropicales, lo cual conlleva, por una parte, para contento de los conservadores, disciplinar las identidades no hispanas o hispanizables,

---

4. Conscientemente, aquí empleo la expresión "profesor de energía", aquella que usara Rubén Darío para referirse a ese Reyes estadounidense, Theodore Roosevelt, admirado por el propio general colombiano. Esa expresión aparece en su famosa "Oda a Roosevelt", de 1904, y es de muchas maneras un poema que responde a la euforia civilizatoria estadounidense desatada por la expansión de su frontera imperial sobre el Caribe hispánico a finales del XIX y comienzos del XX (Puerto Rico, Cuba y, luego, Panamá).

5. Después, ya rico, Reyes se mandaría a hacer un árbol genealógico en España durante su exilio. Copia de él y del de su mujer transcribe en sus *Memorias* (285 y ss.).

y por otra, para satisfacción de las élites librecambistas, horizontalizar el trópico andino colombiano a través de la modernización de sus vías de comunicación.

En efecto, Reyes fue el primer hombre blanco andino[6] —ese depositario de la misión civilizadora desde los escritos de F. J. de Caldas— en vivir, recorrer y explotar buena parte de la tierra caliente del suroccidente colombiano, un país completamente desconocido para sus dirigentes. En la década de 1875 a 1885, con dineros obtenidos del *boom* de la quina (Palacios 70), Reyes exploró el Putumayo, fundó puertos e implementó la navegación a vapor por el Amazonas, haciéndose rico en esta empresa exportadora. Entonces, si algo marcó la diferencia —o más que la diferencia, el *plus*— de Reyes sobre sus copartidarios fue su movilidad, su fuerza física, su disciplina y, sobre todo, su capacidad de disciplinar a otros en otras regiones diferentes de la nación.

Tanto el Reyes escritor como el explorador, el general o comerciante es siempre un cuerpo en movimiento, una corporalidad de la eficiencia que se sobrepone a todos los obstáculos geográficos, políticos o personales. Reyes escribe sus *Memorias* (1850-1885) en el exilio al que parte en un barco bananero inglés con destino a Londres (Bergquist 246), para continuar escribiéndolas a bordo de lujosos vapores y de rápidos trenes que recorren Europa, África y Asia. Montado en uno de ellos, Reyes, más rápido que la escritura, le dicta a su hijo: "Recorriendo en el *Orient Express* de Constantinopla a París la Bulgaria [*sic*], después de haber dejado el territorio de la Turquía europea y viendo una aldeita de ranchos cubiertos de paja, como los de Boyacá, continúo dictando a Rafael [su hijo] esta relación, que repito, no es para publicarse, sino como un recuerdo para mis hijos" (*Memorias* 42-43).

<hr>

6. A pesar de que la vanidad de Reyes lo lleva a postularse como un adelantado en "conquistar" estos territorios, sus referencias a los caminos, trochas y "canjilones" desmienten su pretendida calidad de hombre andino y conquistador primigenio de estos territorios. Los "canjilones" son, de acuerdo con Reyes en sus *Memorias*, "profundidades de varios metros sobre las cuales la vegetación se extiende y las oscurece; abajo puede solamente marchar un solo individuo con su carga; de trecho, hay especies de nichos o refugios en los cuales se hace el cambio de los individuos que marchan en el sentido opuesto" (*Memorias* 101). Estos espacios, literalmente creados por la holladura de los pies en la tierra, dan testimonio contrario al de la autoepopeya reyista: son espacios profusamente transitados.

Como si quisiera ahorrar tiempo —esa gran obsesión de su vida—
Reyes cuenta en sus *Memorias* a la vez dos viajes: uno por la Europa y
el Asia de su exilio en 1911, y otro viaje a pie y a caballo por Colombia en 1868, primero desde Boyacá hasta Popayán, en el suroccidente;
luego a Pasto; y, por último, en el Putumayo, por el Amazonas hasta
el Brasil imperial durante las décadas del setenta. Siempre infatigable
e incorruptible —nunca presa de la ironía o el humor, dos formas del
detenerse sobre la realidad— Reyes solo se permite contemplar los
montes, los ríos o las selvas en tanto estos fueran utilizables para sus
empresas. El fino ojo agroexportador de Reyes desagrega la naturaleza de la cultura, y ve cargamentos donde hay árboles (y no nos ol-
videmos, personas): "en todo ese trayecto el río [Putumayo] es nave-
gable por vapores de cinco pies de calado, sin inconveniente alguno;
sus márgenes están cubiertas por espesas selva en donde abundan el
caucho o jeve, cacao, zarzaparrilla, marfil vegetal o tagua, hipecacua-
na, otras plantas medicinales y variedad de madera finas" (*Memorias*
78). Al invisibilizar el trabajo transformador, es decir, fetichizando la
naturaleza como producto, Reyes solo contempla el transporte como
medio de extracción del valor de cambio de los paisajes tropicales que
observa.

Desde niño, nos confiesa, fue un adicto a la geografía y a las exploraciones amazónicas, a las que —en su pueblo natal de Santa Rosa de
Viterbo, en las altas y frías tierras tropicales andinas— quería desde
siempre entregarse para "engrandecer" la "Patria" (*Las dos Américas*
75). Casi instintivamente, entonces, se construye a sí mismo como
un modelo de virtud cívica, un prodigio de actitud civilizadora como
quiera que, casi bebé, se pensaba como explorador y militar (*Memorias* 22, 35). Para que no quepa duda de su laboriosidad, Reyes copia
su horario de trabajo cuando era apenas un adolescente. Nos cuenta
cómo se levantaba a las cuatro de la mañana a estudiar y no paraba,
trabajando como ayudante de despacho y siendo profesor particular,
hasta la medianoche cuando después de rezar estudiaba nuevamente[7]
(*Memorias* 23).

---

7. Solo hasta su adolescencia, Reyes conoce la tierra caliente. El clima cálido lo
impacta mucho. Sin embargo, a pesar de la incomodidad que le produce, Reyes no
deja de cumplir sus arduas horas de trabajo. Simplemente las reorganiza para poder
"sombrear" en las horas más calientes del día, de 12 a 4 pm. Para compensar estas horas
"perdidas" se debe levantar a trabajar a las 3 am (!) (*Memorias* 41).

Reyes no es solo un cuerpo civilizado en tanto es objeto de ardua disciplina, sino que es un cuerpo civilizador. Sus *Memorias* por eso son consejos a sus hijos y a sus nietos para que cumplan, como él, hábitos estrictos de trabajo, estudio y moralidad. Como cuerpo civilizador, Reyes se preocupó siempre por contar pocos datos íntimos, y de poner, ante todo, su vida como un trayecto ejemplar, o, para usar una de las palabras suyas que más delata su afición a la velocidad como virtud cívica y como proyecto político: una vida récord. La memoria de Reyes, en su acepción técnica inglesa, está llena de récords: haberle ganado la marcha a un baquiano amazónico, haber dejado atrás en sus exploraciones al más rápido montañés pastuso; o haber matado ochenta conejos en un solo día de caza (*Memorias* 102). "Viajo siempre de prisa" confiesa (en Pedraza 60).

Más de una vez Reyes anota que es solamente la falta de avances de comunicación adecuadas, es decir, la falta de desarrollo técnico que abrevie el espacio nacional, el que le causa perder el tiempo: "El viaje que acababa yo de hacer se ha considerado siempre como el más rápido posible y su récord no se ha podido batir, aunque después se han mejorado las vías de comunicación" (*Memorias* 232). Perder el tiempo en Reyes será hacerse consciente del espacio, dejar que el espacio —o, mejor, la selva en Reyes como puro espacio intemporal, esa vieja forma de concebir el trópico desde Colón— triunfe sobre la civilización, dejando a Colombia, para horror de Reyes, fuera del concierto internacional de la naciones civilizadas.

El proyecto político de Reyes puede resumirse en una palabra: tráfico; lograr que en el país haya tráfico tanto de papel moneda como de mercancías. Si entendemos con Sloterdijk por tráfico la perfecta simetría entre la ida y la vuelta (119), veremos claro el interés de Reyes, por una parte, por hacer el país transitable para la exportación de productos tropicales y, por otra, asegurar las transacciones monetarias fuera de la incertidumbre inflacionaria que había caracterizado a la Banca Nacional desde su introducción por parte de Rafael Núñez en la década del ochenta (Junguito 90). Ante todo, serán las vías de comunicación las que ocuparán un lugar central en el proyecto modernizador de Reyes una vez llegue al poder en 1904 (Palacios 97). Su vida como explorador y comerciante en el Putumayo y en sus regiones aledañas le había mostrado que la intrincada geografía del trópico andino colombiano, en particular el clima cálido de los valles interandinos y de las planicies amazónicas, era un obstáculo para el progreso en tanto impedía hacer de la geografía un espacio ideal de tráfico.

El clima cálido y la topografía serán, a ojos de Reyes, las talanqueras que le dificultaban a Colombia entrar de lleno en la civilización, en tanto, aparte de que escaseaban los brazos para ayudar en la construcción de los ferrocarriles, las pocas densas poblaciones de peones enganchables[8] se encontraban en las alturas de clima frío y templado. Al llevar estas poblaciones a las tierras cálidas de baja altura, muchos sufrían de fiebre amarilla o malaria, enfermedades endémicas entonces en la región para quienes no tuvieran inmunidad frente a ellas. Al respecto escribe Frank Safford: "Uno de los problemas encontrados en los intentos de construir los ferrocarriles en las tres últimas décadas del siglo XIX era la salud de los trabajadores en las regiones calientes y húmedas. Los avances de la medicina en el siglo XX han cambiado bastante el significado del trópico" ("El problema" 529). A pesar de que la obsesión ferroviaria de Reyes quería realizar lo que Sloterdijk llamaría "la utopía del control total de los movimientos reversibles" (119) conseguida después de cruzar los países con rieles a lo largo y a lo ancho de sus geografías, las "fiebres palúdicas", entonces entendidas como una derivación mefítica de las miasmas —un producto del clima—, se interponían constantemente a la acción civilizatoria de la tecnología del transporte.

Reyes quieto: politizar la velocidad

Paul Virilio, al hablar de la guerra —no debemos olvidar que el ojo del general Reyes es el de un comerciante y el de un militar—, sostiene que al afán por reducir las distancias subyace una negación del espacio (133). El punto de perfecta velocidad es aquel en el que Reyes, quieto, en confort, puede contemplar la geografía entera de Colombia para verla desplegarse frente a él en un mapa sin tener que moverse. De esta manera él puede mantenerse fuera de la geografía, contemplándola entera, para poder así, liberado el cuerpo del esfuerzo físico (y del

---

8. El llamado "enganchamiento" era una táctica, no pocas veces coercitiva, de llevar trabajadores de las tierras altas a las tierras bajas para el desempeño de labores como la cosecha de productos tropicales como el café, el tabaco, el caucho o la quina (Bergquist 27-28; Deas "Una hacienda cafetera" 247).

clima), dar órdenes a sus subalternos sobre cómo debe mercantilizarse la naturaleza tropical observada. Esta es una fantasía que Reyes, por una parte, puede vivir a través de los mapas que él mismo diseña y donde, como mostraré, plasma sus utopías comerciales; y por otra, es un método de administración política que cumple con los ferrocarriles que ordena construir durante su administración, y sobre los cuales, luego, realiza sus famosas "excursiones presidenciales" de 1908 por el Magdalena y la Costa Caribe colombiana.

Reyes fue el primer presidente en recorrer el país durante su administración para ver la efectividad de su programas modernizadores (Gómez en Reyes, *Memorias* ii). Naturalmente, lo hizo en vapores, barcos y trenes. El general Pedro Pedraza, entonces jefe de la gendarmería de Bogotá, acompañó al presidente Reyes en este viaje, y lo documentó, dándole una narrativa, adjuntando fotos y estadísticas, y compilando las charlas dadas por Reyes y por los políticos que lo recibían en cada ciudad visitada. El resultado, *Excursiones presidenciales: apuntes de un diario de viaje* (1909), es un texto que trata de traducir al papel la fascinación reyista por la velocidad pasada por la técnica, es decir, la obsesión de su administración por la eficiencia. El prologuista del libro asociará este tono de eficiencia con una carencia de "adornos". Para él la eficiencia militar se debe traducir en un texto sin literatura. E. Cervantes describe el texto de Pedraza así:

> su libro [el de Pedraza] es la obra de un militar: una guía itineraria: sitios, fechas, distancias, observaciones concisas y oportunas es todo lo que contiene esta reseña de viaje. En vano se buscarían en ella estudios críticos, exposición de teorías, lucubraciones metafísicas o adornos retóricos. Es un relato claro, escrito con método sencillo, en estilo llano y en una forma original. Sufrirá un desencanto el lector que quiera encontrar diversiones de la fantasía con que entretener el ocio del espíritu, creaciones de la imaginación para dar pábulo a la propia, invenciones de fórmulas artística, refinamientos literario o la *vaga sugestión del silencio* que tanto preocupa ahora a los modernistas de por acá (en Pedraza v; cursiva en el original).

Sin embargo, un texto no puede prescindir de todo lo que tanto Pedraza como Cervantes condenan como inútiles obstáculos al entendimiento. Por el contrario, las *Excursiones presidenciales*, al igual que las visiones de una Amazonía cosmopolita, están plagadas de literatura, e incluso de humor. Por ejemplo, al contar el trayecto de Santa Marta a Ciénaga, Pedraza nos cuenta que el general Reyes, observando la geografía pasar delante suyo, montado en el tren, hace toda suerte de planes civilizatorios para esas tierras: "En el trayecto alcanzamos a oír que el general hablaba de poblaciones, elementos sanos, cultivos intensos, comunicaciones fluviales combinadas, ferrocarriles, etc. etc. Por el ruido del tren no entendimos claramente todo lo que nos decía, pero el sistema objetivo, que es de los grandes sistemas, nos abrió los ojos: atravesábamos campos hermosos, que están cultivados todos" (Pedraza 29). Hay en esta escena un tono que hace pensar en el Sancho Panza de Miguel de Cervantes. Reyes delira sobre sus proyectos civilizatorios en el Valle del Magdalena, posiblemente hablando de las plantaciones de banano y las mil riquezas que estas traerán consigo. Pedraza no lo entiende, significativamente, porque el ruido del tren no lo deja oír. La civilización, a pesar de su pretendida racionalidad, es ininteligible, tal como el delirio de Reyes, que suena igual que las ruedas contra el riel. Sin embargo, el libreto de la civilización —esa narrativa que construye el progreso en América primero como un lugar de naturaleza primigenia, luego como objeto de una narrativa de exploración y por último como un lugar de minería, industria y comercio (Rodríguez xiv)— funciona como un sucedáneo literario que reemplaza las ininteligibles palabras de Reyes en la mente de Pedraza. Para compensar su falta de comprensión, Pedraza parece recitarse a él mismo aquello ininteligible de "pero el sistema objetivo, que es de los grandes sistemas, nos abrió los ojos: atravesábamos campos hermosos, que están cultivados todos". La irracionalidad de esta oración, donde posiblemente Pedraza haya unido palabras oídas a pensamientos propios, toman la fuerza de verdad revelada, "le abren los ojos", a pesar de no comprenderlo para ver lo que seguramente no estaba en frente suyo, afuera de la ventana del tren, en las sabanas de Ciénaga, cerca de Santa Marta: "campos hermosos, que están cultivados todos". Así, el discurso civilizatorio —en esta mímica que hace del general Reyes, cándidamente, Pedraza— se nos muestra como un discurso literario, y, por eso mismo, lleno de todas las cualidades que el prologuista, E. Cervantes, había encontrado eran carencias positivas en *Excursiones presidenciales*. Pensar el discurso civilizatorio como un discurso literario es liberador porque desnaturaliza su poder monopolizador de la historia, con el que trata de posicionarse como una verdad absoluta.

Pedraza, una suerte de discípulo de este "profesor de energías" (Cervantes en Pedraza vi), reproduce en su texto tablas donde se consignan las distancias recorridas por la excursión presidencial en horas, millas, kilómetros y leguas, y, además, para sorpresa del lector, se contemplan, en columna aparte, las horas de demora, con su respectiva explicación a pie de página (Pedraza 51). Todas las razones de la demora se deben a la falla técnica de alguno de los vehículos —una rueda, una descarrilada— o a las atenciones de orden político en las que debe incurrir el general Reyes en su *tour* (vgr. conferenciar con un político local) (Pedraza 51). Consignar las razones de la demora es una forma de decirnos que, en condiciones de mejor manutención de los vehículos o en un viaje (comercial) que no requiriera parar a hacer política, el tránsito sería más expedito. Con ello nos enfrentamos a una certeza del pensamiento espacial de Reyes: el viaje ideal es el trayecto comercial o la misión militar. Es decir, el tráfico o el flujo sobre un espacio horizontal se oponen al turismo, la aventura o la excursión, emprendimientos que pueden llevar a la improvisación y, por tanto, al aprendizaje.

El nexo civilizador

El texto propagandístico de Pedraza es elocuente de muchas maneras, pero ninguna tan poderosa como en uno de sus silencios: la naturaleza nunca se interpone como obstáculo para que el presidente Reyes realice su excursión en un tiempo récord. La técnica es en Reyes el silencio de la naturaleza y el telégrafo es su máxima expresión: "El servicio telegráfico colombiano puede servir de modelo en muchos países, dada nuestra condiciones topográficas, la variedad de nuestros climas, los cambios atmosféricos, las tempestades y los huracanes que arrasan las selvas y tronchan los árboles centenarios: nuestros postes con sus alambres parece que se levantaran automáticamente combatiendo las iras de la naturaleza" (Pedraza 109). El mensaje que viaja por el telégrafo no sufre ninguna de las demoras que obsesivamente anota Pedraza, en tanto viaja a una velocidad que reduce el espacio a pocos segundos, sobre un canal que obvia toda topografía y clima: el cable telegráfico. En su obsesivo conteo de horas y minutos versus kilómetros recorridos, envío de telegramas transcritos en el cuerpo del texto donde se da cuenta de la llegada a cada puerto, fotografías tomadas con las kodaks de cada uno de los participantes de la comitiva, el texto de Pedraza es un "cinematógrafo explicado" (Cervantes en Pedraza v), es decir, es un guion cuya imagen el lector debe proyectar en su mente sin interrupciones.

Excursiones presidenciales es un texto cruzado por las tecnologías más avanzadas del momento; todas juntas quieren dar un retrato del estado de modernización en que se encuentra Colombia. De esa manera se quieren exceder sobre todo los límites fronterizos nacionales para poder ingresar en el mercado capitalista internacional. De esta manera, estas tecnologías operando sobre el espacio quieren revalidar lo que Malcolm Deas ha llamado "el nexo civilizador": "La opinión general que estos hombre [los exportadores del grano] tenían del café era que suministraba divisas a un país desesperado [a finales del siglo XIX]. Intimamente, todos conocían las violentas consecuencias de la falta de divisas. Eran civilizadores y el café era el nexo civilizador" ("Una hacienda cafetera" 252). Me parece que antes de ser el café "el nexo civilizador", lo eran las rutas agroexportadoras, pues estas deseaban conectar a Colombia con los mercados internacionales de Europa y Estados Unidos. De esta manera, los civilizadores colombianos, como Reyes, entendían el comercio agroexportador —y sus condiciones materiales: los trenes y los vapores— como una fuerza civilizadora de una caótica geografía tropical poblada de gentes indolentes.

Repitiendo un viejo tropo civilizador para referirse al trópico, Pedraza transcribe un discurso de Reyes en el que este se refiere a la civilización como un atributo de los países temperados, donde, debido a las estaciones, existe una "lucha por la vida" que obliga a sus habitantes a trabajar por su sustento y a ahorrar en tiempos de escasez. De acuerdo con el general, la abundancia del trópico, confirmando un lugar común, es un obstáculo para incentivar el endeudamiento que pueda hacer de los habitantes del trópico peones porque lo tienen todo sin trabajar: "Las riquezas de nuestro suelo hoy no producen lo que deberían producir por la indolencia de los habitantes de un país tan fértil que no exige mayores esfuerzos para conseguir el sustento diario, no les permite explotarlos como sucede en los países en que hay verdadera lucha por la vida [se refiere a los países de estaciones]" (en Pedraza 21-22). La "indolencia" de los habitantes de Colombia, que encuentran en el trópico una coartada perfecta, justifica desposeerlos. Para ello, es indispensable inventar geografías de la agroexportación. A través de ellas se puede sacar el trópico fuera de sí mismo y dárselos a quienes, en los países temperados, por estar habituados a la "lucha de la vida", sí saben disfrutar de estos productos. Los vapores y los ferrocarriles serán en Reyes las tecnologías para hacer esto posible.

El mapa, esa otra vieja tecnología de apropiación del espacio (Sloterdijk 121), le servirá a Pedraza para mostrar cómo ha avanzado la construcción de los ferrocarriles en Colombia y a nosotros para ver cómo el trazado ferrocarrilero conecta el interior del país —donde existe la mayor densidad poblacional y donde se cultivan la mayor cantidad de productos exportables— con las costas para su final embarque y envío a Estados Unidos o Europa.

Este mapa (ver imagen 6) nos permite observar la reconversión de la geografía nacional en una geografía de la agroexportación. El costado oriental del país, ese que, precisamente, no está ni cruzado por rieles ni ocupado por empresas agroexportadoras a pesar de aparecer desprovisto de rieles, aparece, llamativamente, sobrescrito de ríos sin nombre. Sin ciudades, sin nombres de ríos, sin elevaciones ni límites territoriales (entonces Colombia todavía no contaba con tratado de límites formales con Brasil ni con Perú), a lo largo de ese territorio innombrado se extienden trazos largos y prominentes que semejan ser las marcas cuya convención en los mapas denota ríos. Más que serlo, parecen puntos de fuga o de tráfico deseado entre los ferrocarriles y las salidas del mapa nacional hacia otras geografías: Brasil, Venezuela o el Pacífico. No obstante, debido a su tumultuosa presencia en una geografía, al parecer, deshabitada, el lector está tentado a pensarlos como significantes que quieren dar un evidente significado: Colombia está conectada *naturalmente* al comercio global por todas partes, a pesar de no tener ferrocarriles en esas regiones. Es decir, la geografía del comercio no solo desemboca, o puede desembocar, en el "mar de las Antillas", sino en el Orinoco y en el Amazonas. Contra toda evidencia, el mapa reproducido por Pedraza es la forma de un deseo: ver a Colombia completamente atravesada por vías de comunicación.

Los rieles y ríos conforman una espacialidad del tráfico, del tránsito hacia fuera, gracias a la cual el país queda convertido en una plataforma agroexportadora, una geografía que se piensa para afuera. Esta es una vieja obsesión del proyecto civilizatorio colombiano: naturalizar las vías de comunicación fluviales como catapultas para la exportación de productos tropicales como la revalidación *non plus ultra* del deseo por perpetuar para siempre ese nexo civilizador con Europa y Estados Unidos, deseando nunca (y temiendo) separarse o ser dejado atrás por la civilización. De esta manera se concibe el país entero como una geografía del tránsito, una escala del comercio internacional, invisibilizando tal espacialización en una visión instrumental de la naturaleza. Por eso la red de ríos del Amazonas, para Reyes, es un sistema de transporte cosmopolita natural: "Ningún otro continente tiene una tan grande y tan bien combinada red de ríos navegables que al mismo tiempo que facilitan los viajes y transportes, dan abundantes aguas para la agricultura, y en la cordillera, en donde estos ríos se precipitan en cataratas, permiten desarrollar fuerza [¿hidráulica?]" (*Memorias* 140).

Una cosmópolis en la Amazonía

En plena Guerra de los Mil Días[9] (1899-1902), en diciembre de 1901, Reyes dio una charla en el marco de la Segunda Conferencia Internacional Americana reunida en México. En ella expuso la idea, que no era originalmente suya[10], de construir un Ferrocarril Intercontinental que conectara a Nueva York con Buenos Aires; interesantemente cuando ya se había consumado el fracaso de Ferdinand de Lesseps en el canal de Panamá, debido, en gran parte, a la malaria y a la fiebre amarilla[11]

9. De lejos la más sanguinaria y larga de las guerras civiles colombianas del siglo XIX, la Guerra de los Mil Días (de la que Reyes se mantuvo al margen, siempre en el exterior, como funcionario del gobierno conservador) se inició como un levantamiento orquestado por el ala militarista del Partido Liberal en contra del Partido Conservador. Después de enfrentamientos militares que insinuaban una guerra de posiciones —significativamente en las batallas de Peralonso y Palonegro— la guerra degeneró en cruentos enfrentamientos entre fuerzas del gobierno y guerrillas liberales. Al mando de los generales Rafael Uribe Uribe y Benjamín Herrera, los liberales se rindieron y firmaron la paz incondicional en 1902.

10. La primera referencia documentada de esta idea es de Francis Homas, el embajador estadounidense en Perú en 1872 (ver Caruso 1951).

11. A pesar de lo irrealizable del proyecto —Lemaitre, su biógrafo, nos cuenta que debido a este "fue objeto de no pocas burlas" (205)— Reyes era consciente de los riesgos que conllevaba como quiera que en sus empresas caucheras y quineras por el Putumayo perdió, por cuenta de la fiebre amarilla, a sus dos hermanos (uno de ellos, según el General, comido por los "antropófagos"), dos cuñados, además de "no menos de mil hombres víctimas de la fiebre amarilla, del paludismo, de los climas letales de ese trópico en donde parece que faltara todavía un día de la creación" (Lemaitre 101).

(McCullough 181). El siguiente año, con todo el lujo, Reyes editó su conferencia en cuatro idiomas —en columnas que corrían paralelas en español, francés, inglés y alemán—, bajo el título *A través de la América del Sur: exploraciones de los Hermanos Reyes* (1902), acompañándola de un mapa en el que copia el trazado del ferrocarril, al mismo tiempo que señala sobre él cuáles son los productos a exportar, cuáles son los ríos navegables, y qué tribus "antropófagas" —léase qué tribus oponen resistencia[12] (Rodríguez 169)— puede encontrarse el empresario en su camino. Compartido frente a un público cosmopolita, la conferencia editada en las principales lenguas europeas, quiere alcanzar una proyección global (*Las dos Américas* xvii). En esta conferencia Reyes narra la Latinoamérica tropical como el único coto vedado para la civilización a comienzos del siglo xx: "Todo el continente de Colón está hoy en su mayor parte civilizado, cruzado por rieles y telégrafos y dominado por el vapor y la electricidad; puede decirse que la civilización ha atacado a la barbarie por el Norte y por el Sur, partiendo de las zonas templadas de los dos hemisferios para conquistar la tórrida" (Reyes *A través* 37). La invasión civilizadora deseada por Reyes vendrá de la "raza anglosajona" desde el norte y de la "raza latina" desde el sur temperado de América. Un mapa donde Colombia, justo en el centro de este mapa de guerra racial/climática, ocuparía un incómodo lugar, si no fuera porque Reyes, oriundo de los Andes colombianos, emplea un viejo tropo del pensamiento decimonónico al igualar las montañas de Colombia con comarcas "tan sanas y ricas como la Suiza y cien veces más extensas" (*A través* 38). Con ello, el arriba andino es el norte y sur temperados (y por ello sanos) operando su influjo civilizador y profiláctico sobre el abajo/centro tropical y, por ello, enfermizo. Un viejo tópico en la imaginación geográfica de las élites colombianas del siglo xix que hace con Reyes su entrada en el siglo xx tomando un cierto tamiz higienista.

La nueva variación de la fantasía irredenta de las élites latinoamericanas en el trópico toma en Reyes la forma de un proyecto de "Ferrocarril Intercontinental" (ver imagen 7). poniendo en movimiento la imaginación geográfica del liberalismo que desea siempre "la aniquilación del espacio a través del tiempo"[13] (Harvey, "The Sociological"

12. Los salvajes, de acuerdo con Reyes, "no reconocen otra superioridad que la de la fuerza" (Reyes, *A través* 18).
13. "the annihilation of space through time".

217), queriendo por sobre todas las cosas eliminar el trópico como máximo obstáculo, "temperizándolo", si se quiere. Esta máquina alisadora conectará, o eso desea Reyes, la espacio-temporalidad de ese México de la reunión cosmopolita, de la Conferencia Interamericana desde la cual él habla, con la Amazonía objeto de sus reflexiones. Acompañado de convenciones que identifican sobre el mapa la existencia de árboles de caucho, cacao, hulla, depósitos minerales, el mapa del "Ferrocarril Intercontinental" de los hermanos Reyes quiere conectar "toda la región aurífera colombiana, [abrir] la explotación de esta riqueza abandonada y casi desconocida, al comercio y a la industria" (*A través* 27).

Este mapa evidencia un gran silencio que, no obstante, se construye a partir de una gran elocuencia. El silencio está en no mencionar la Guerra de los Mil Días al mismo tiempo que se recurre a las metáforas conflictivas de El Dorado y el infierno verde. Silenciar las particularidades de esos territorios (o desagregarlos en convenciones como las que expone el mapa: calaveras donde hay "indios antropófagos", flechas donde hay "indios salvajes") o hacer caso omiso de las maneras en que han sido construido desde Europa es la única manera en que ese mapa puede trasladarse del papel a la geografía.

Ese silencio, en tanto falta de historia, se construye, como en muchos casos similares, a partir del vaciamiento de la geografía tropical como condición de su dominación. Este vaciamiento de historia se sirve a su vez de un relato. Como otros críticos culturales, Ileana Rodríguez ha encontrado en las crónicas expedicionarias de los conquistadores, en este caso las del español Gaspar de Carvajal donde da cuenta de las expediciones de Francisco de Orellana por el Amazonas en el siglo XVI, antecedentes discursivos donde se construye estos territorios como un puro espacio intemporal que, no obstante, se rinde como el futuro de la humanidad (léase humanidad europea). De esta manera, construir la Amazonía como el espacio solo en tanto futuridad, implica la creación de fronteras interiores al capital global que deben ser vencidas por el pretendido bien de esta misma. Reyes, apadrinando a una humanidad menesterosa, que no halla donde encontrar sustento, propone al Amazonas como ese espacio-tiempo: la frontera del futuro.

> [L]a humanidad busca nuevos territorios para su progreso y bienestar; ya está que se desborda la gran masa humana en la América del Norte y en Europa, la que por medio de los ferrocarriles y de los vapores, invadiría la América del Sur; necesario es que las Repúblicas que forman aquella parte del Continente, se preparen para recibirla y para conservar y hacer respetable su integridad por medio de la paz, la libertad y de la justicia (*A través* 14).

La creación de fronteras interiores va de la mano con lo que David Harvey llama "Spatio-Temporal Fix" (una inyección espaciotemporal). Jugando sobre la metáfora gótica, inventada por Marx, que ve al capitalismo como un hombre lobo hambriento de plusvalía, Harvey contribuye a su cultivo introduciendo la metáfora yunkie del "fix" como "una metáfora para una particular solución a la crisis capitalista a través del diferimiento temporal y la expansión geográfica"[14] (*The New Imperialism* 115). La expansión geográfica estriba en anexionar la Amazonía a las dinámicas del capitalismo global. El diferimiento temporal al que se refiere Harvey, empero, se trata de localizar estos territorios, dentro del libreto de la civilización o de lo que Harvey llama "Utopias of Social Process" (utopías del proceso social; *Spaces of Hope* 173), en un estadio más atrasado del cual, obviamente, esta anexión al capitalismo global los sacará, haciendo que su adelanto su verifique prodigiosamente. La anexión al capital global liberará a estos territorios a la vez del silencio y de la oscuridad, al ser tocada la selva por la civilización para salvar, como dice el propio Reyes en su conferencia, del "horroroso estado [a] millares de salvajes, quienes al solo contacto con el hombre civilizado se sintieron como iluminados por la luz benéfica de esa misma civilización" (*A través* 20).

Las narrativas coloniales y las modernas sobre la selva amazónica se hermanan, de acuerdo con Rodríguez, en tanto ambas "inventan la naturaleza o bien como la utopía —un terreno cultural listo a ser saqueado y disfrutado; el lugar de lo salvaje en la literatura acerca de la frontera que visitan aventureros, peregrinos, ambiciosos militares— o un escenario para explotar, más tarde a convertirse en el topos del desarrollo"[15]

---

14. "a metaphor for a particular kind of solution to capitalist crises through temporal deferral and geographical expansión".

15. "plot [Amazonian] nature either as utopia —a cultural terrain to ponder and enjoy; the place of wilderness in frontier narrative of adventurers, pilgrims, ambitious military men— or as a setting to exploit, later to become a topos for develpment".

(226). En Reyes, sin embargo, la Amazonía no es el resultado de escoger entre estas dos opciones. Antes bien, la primera de ellas —la Amazonía como el espacio de la frontera salvaje—, ese relato de un silencio prehistórico donde la Naturaleza reina sin cultura y sin cultivo, donde su geografía es un obstáculo pero un obstáculo lleno de riquezas, es la condición para tramar la consecución de la segunda: el topos de la Amazonía como una cosmópolis desarrollista. En ese silenciar es que Reyes construye la Amazonía, al igual que muchos de los conquistadores del siglo xv y xvi[16], como un jardín del edén:

> [en las playas del Putumayo de los años setenta del siglo xix] me sentía en comunicación con los míos [con mi familia]; me parecía que los tuviera presentes y que me acompañaban en aquellas inmensas soledades a sentir la intensidad de las fueras de una naturaleza primitiva que hacía pensar que así sería en el séptimo día de la creación, cuando aparecieron los soberanos de allá, Adán y Eva (*Memorias* 127).

Así, como un nuevo soberano de esas tierras, luego de nombrar algunos puertos, Reyes pasa a llenar ese silencio de la prehistoria edénica con su profusa narración de una cosmópolis exportadora en el Amazonas. En ella participarán personas de todas las razas que harán fortuna en ese territorio, gracias a las comunicaciones ferroviarias y fluviales de las que está dotada la región:

> [entre el norte y el sur temperados] se encuentra la inmensa región amazónica con 10 millones de millas cuadradas de los mejores terrenos del Globo, surcada por una red de 15 mil millas de ríos navegables por vapores de 26 pies de calado, conformada por montañas que en sus entrañas contienen todos los mineras y todas las piedras preciosas, con todos los climas de las diferentes zonas, desde el frío de la nieve perpetua hasta el calor de los ardientes valles. Esa portentosa Región, en cuyas montañas, como en las del Perú y Colombia, se encuentran comarcas tan sanas y ricas como la Suiza y cien veces más extensas, será, como dijo el Presidente Roosevelt: "un nuevo mundo que se ofrece al progreso y bienestar de la humanidad" (*A través* 37).

---

16. Es fundamental aquí recordar la construcción del propio Colón de las islas del Caribe como espacios edénicos o directamente como el paraíso (Rodríguez 4).

La Amazonía como el futuro donde debe reunirse la humanidad para explotar comercialmente sus accidentes geográficos, será una fantasía espacial que obsesionará a Reyes durante toda su vida. Además de compartirla en la Conferencia Americana en México en 1901, la expondrá también en varias ciudades europeas y estadounidenses que visitará durante sus viajes de exiliado en 1914 (*Las dos Américas* 146) y la dejará escrita en sus *Memorias:*

> Cuando el oleaje humano penetre en el Amazonas y sus afluentes, a la sombra del derecho, de la paz y de la justicia, se establezcan en la cordillera, en los buenos climas, en las fuentes de los ríos afluentes del Amazonas, hará allí el cultivo de todos los productos de la zona templada y en la parte plana del río Amazonas el de los productos de la zona tórrida; entonces la fiebre palúdica habrá sido vencida como lo ha sido en Cuba y en Panamá y la masa humana que en muchos países está ya congestionada, encontrará allí extensísimos y ricos territorios en donde establecerse y ser feliz (*Memorias* 138).

La cosmópolis amazónica de Reyes y el Ferrocarril Interamericano, que servirá para explotarla, abrevan su energía discursiva, evidentemente, de un evento que fascinaría durante las primera décadas del siglo xx la imaginación civilizatoria de las élites latinoamericanas, norteamericanas y europeas: la construcción del canal de Panamá por parte de los norteamericanos, una empresa plena de *hybris* occidentalista donde se estaba en trance de probar —y se probó en el año cosmopolita de 1914 con la apertura del canal, año en el que Reyes publica sus viajes de *Las dos Américas* y escribe sus *Memorias*— que la naturaleza tropical, luego de tantas víctimas mortales, era doblegable al impulso civilizatorio. La apertura del canal de Panamá muestra, en la producción escrita de Reyes, cómo este era consciente de los avances de la medicina tropical y la disciplina militar norteamericana en atacar la fiebre amarilla y la malaria en el Caribe.

Es muy llamativo, y habla de algo silente en la conferencia de Reyes de 1901, que la ruta del fantástico ferrocarril siga los Andes tropicales y no baje, directamente, a esas tierras amazónicas que el propio Reyes encuentra tan ricas. Serán los ríos de la cuenca amazónica los que se conectarán con el tren interandino, dice Reyes, capturando toda la Amazonía (*A través* 28). Esta distribución de la tecnología sobre los espacios copia, pero sin decirlo, un mapa de la enfermedad, una suerte de geografía médica (Caponi 20), donde, como dice Reyes: "Desde el pie de la cordillera de los Andes hasta el océano, el clima es ardiente y hay fiebres palúdicas, como en todas las regiones análogas a estas" (*A través* 20). Las regiones de baja altura tropical siguen representadas como lugares de tránsito pero al mismo tiempo de explotación económica. Un conflictivo paisaje cuyas lecciones para el progreso estaban todavía frescas en la imaginación geográfica de las élites a ambos lados del Atlántico.

La imaginación geográfica del proyecto civilizatorio seguía entonces los mismos linderos de las alturas andinas, tratando de escapar de las miasmas, en tiempos en que los descubrimientos de Finlay en Cuba (Arnold, "Tropical Medicine" 2) y Manson en la India (Worboys 181) respecto a los vectores de la fiebre amarilla y la malaria —los mosquitos Aedes Aegypti y Anofeles, respectivamente— no habían cobrado suficientes adeptos en la academia médica como para desterrar las tradicionales teorías sobre los vapores mefíticos generados por las altas temperaturas en las aguas estancadas, particularmente letales en los trópicos (Peard 52). El trópico, en realidad, seguía interponiéndose a la expansión modernizadora, a través de la enfermedad tropical como un agente mortífero para quienes no tenían, como los europeos o norteamericanos, defensas frente a la fiebre amarilla o la malaria, por ejemplo.

Sin embargo, muchas cosas cambiarían a medida que la medicina tropical avanzaba durante los primeros años del siglo apalancada por la expansión militar norteamericana, primero a Cuba y Puerto Rico, con la guerra hispanoamericana (1898) y luego a Panamá y las Filipinas. Tal como lo ha demostrado Nancy Leys Stepan en su reciente estudio sobre la fiebre amarilla en el trópico a comienzos del siglo xx, las ingentes cantidades de dinero invertidas por los norteamericanos en el canal de Panamá, combinadas con disciplina militar y medicina tropical, derrotaron a la fiebre amarilla, convirtiendo a esta enfermedad en una cuestión de política imperial para el avance del capitalismo sobre el trópico centro y suramericano como nueva frontera imperial, primero insular y luego continental con la secesión de Panamá en 1903 y la apertura del canal en 1914, después de no pocos tropiezos y epidemias de fiebres. Con ello se pudo conjurar, en gran parte, la ambivalencia del norte global frente al trópico —tierras mórbidas pero feraces—, incorporando estas tierras a los designios del capital global:

Hasta el final del siglo XIX, se creía que la raza blanca no podía ser aclimatizada en los climas tropicales, donde corría el riesgo constante de la amenaza degenerativa, física y moral, que traía consigo el calor, la enfermedad y la laxitud moral de las culturas incivilizadas. El desarrollo de la nueva medicina tropical, sin embargo, significó que el control europeo sobre el medioambiente tropical había mejorado sustancialmente a través de intervenciones específicas[17] (Stepan, *Eradication* 54).

Pero el trópico a finales del siglo XIX y comienzos del XX era todavía una fruta envenenada para la imaginación geográfica de la parte temperada del globo y todavía más para las élites andinas colombianas: "lo tropical en la medicina del siglo XIX era más que una mera descripción geográfica; connotaba un lugar de marcada dificultad climática, étnica y salubre"[18] (Stepan, *Picturing* 156). En Colombia era claro que, aún a comienzos del siglo XX, enfermedades tropicales como la fiebre amarilla —vistas todavía confusamente como producidas por el clima y/o los mosquitos, a pesar de los reciente descubrimiento médicos— eran un obstáculo para el avance de la civilización (entonces ya denominado progreso) sobre el territorio nacional. Poniendo a igual nivel el capital y el espacio tropical, otro general, este liberal, Rafael Uribe Uribe, decía todavía en 1908: "Las dos principales causas por las cuales no acuden capitales ni inmigración a Colombia son el papel moneda de valor oscilante y la fiebre amarilla" ("Sobre la fiebre" 366). Sin embargo para Reyes, el "gravísimo inconveniente [de la fiebre amarilla] ha desaparecido, como lo prueba el completo saneamiento de los climas malsanos de Panamá y de Cuba, lanzado por medio de higiene y con el empleo de los sistemas modernos de desinfección" (en Pedraza 3).

Las constantes referencias de Reyes a los "climas palúdicos" (*Memorias* 137) en sus textos tardíos de 1914, no obstante los avances médicos de comienzos de siglo, siguen mostrando cómo a Reyes lo preocupa la pregunta por el trópico como espacio civilizable. En efecto, como para

17. "Until the late nineteenth century, it was believed that the white race could never be fully acclimatized in tropical climates, where it risked the constant threat of physical and moral degeneration brought about by the heat, disease and the moral laxity of uncivilized cultures. The development of the new tropical medicine, however, meant that European control over the tropical environment might now be much improved through specific interventions".

18. "'The tropical' in 19th century medicine was more than a merely geographical description; it connoted a place of a marked climatic, ethnic and disease difficulty".

muchos de los civilizadores contemporáneos a Reyes, la pregunta por el clima significaba una pregunta por el cosmopolitismo. Esta es una pregunta que la medicina, desde mediados del siglo XIX, se había hecho con motivo de la expansión europea hacia los trópicos del Sur Global: "¿El hombre es cosmopolita como se ha creído hasta ahora, o está ligado para la conservación de su existencia y la propagación de su existencia y la propagación de su raza a regiones más o menos semejantes a las de su país de origen?" (Boudin, en Caponi 14). Para civilizadores como Reyes esta es una pregunta por la viabilidad del nexo civilizador entre Europa y Colombia. Sostener que Colombia, un vasto país que Reyes reconocía conformado mayoritariamente por tierras cálidas, no pertenecía al concierto de la civilización suponía un golpe inconcebible, pues imaginar a Colombia fuera de la Historia de Europa era verse expulsado de tajo al salvajismo, a la prehistoria.

El miedo nunca verbalizado a no ser parte de la civilización —en buena medida atemperado por los métodos higiénicos de eliminación de los vectores transmisores de la enfermedad tropical— se expresa en el espacio fantaseado por Reyes, en esa Amazonía cosmopolita donde se reunirán todas las razas. Para Reyes es un hecho que el canal de Panamá se traduciría en una inmigración masiva de capitales y de europeos y norteamericanos (blancos) al trópico suramericano. Sin embargo, escribe Reyes en el año de la apertura del canal: "El problema que queda por resolver en relación con la colonización, es la de la parte plana de aquel inmenso territorio en donde el clima varía entre veinticinco y cuarenta grados centígrados, en donde el sol es abrasador, donde ha fiebres palúdicas y donde la raza blanca no puede soportar los rigores del clima en los trabajos agrícolas" (*Memorias* 146). Seguidamente, Reyes da la solución: "procurar la colonización con la raza amarilla del Asia, hindúes o japoneses, que son las únicas que soportan bien los climas tropicales y a las que seguramente pertenecen los aborígenes de las dos Américas, que los conquistadores encontraron" (*Memorias* 146).

La cosmópolis amazónica de Reyes, así, se devela como una paradoja que verbaliza esos miedos de Reyes a perderse del concierto global de la civilización. El afán por incorporar el trópico al proyecto civilizatorio lo lleva a crear una cosmópolis segregacionista como quiera que la humanidad, antes de compartir un solo espacio horizontal, se halla compartimentada en razas dictadas por el clima, cuya división, desde luego, también obedece a la especialización (léase explotación) de la fuerza de trabajo en cada piso térmico. Aunque Reyes lo calla —esta, como dijimos, es una elocuente fantasía silenciadora—, se entiende que las "razas amarillas e hindúes" harán el trabajo físico de la recolección de caucho y otros frutos tropicales de las tierras bajas amazónicas, mientras los blancos en las alturas los comercializarán a través del "Ferrocarril Interamericano".

En su *Cosmopolitanism and the Geographies of Freedom*, David Harvey hace una reconstrucción histórica del debate acerca del cosmopolitismo como una fantasía ilustrada —avanzada primeramente por Kant y luego capturada por la imaginación liberal a través de Locke y luego de John Stuart Mill— que privilegiaba el tiempo como vector de análisis sobre el espacio, mostrando que las condiciones de posibilidad de una cosmópolis administrada por el pensamiento ilustrado europeo hacían caso omiso de estudios geográficos y antropológicos, pues estos podrían interponerse a las fantasías alisadoras del cosmopolitismo (incluso la *Geografía* de Kant, anota Harvey, ha sido descartada como irrelevante por los estudiosos del filósofo). El geógrafo inglés sostiene que el espacio es siempre una construcción social discontinua que es tan importante como el tiempo en la construcción de nuestras identidades políticas: "Este espacio y tiempo lisos Euclidiano/Newtoniano (al cual yo añadiría kantiano) que vehiculan tanto la historia liberal como la universal fue una ficción errónea que le permitió a Mill imaginarse el mundo como una conectada superficie lisa, siempre rendida en una fija cuadrícula epistemológica"[19] (Harvey, *Cosmopolitanism* 41). En la cosmópolis de Reyes vemos cómo el espacio se desagrega del tiempo de manera tan antinatural que su segregación, en una verticalidad basada en supuestos seudocientíficos de inmunidades raciales frente al clima, se devela, antes que como una cosmópolis, como una geografía imperial segregacionista, mostrándose como una geografía colonial.

Margarita Serje sostiene que el "Orden moderno global" —lo que he llamado aquí el proyecto civilizatorio— necesita de espacios de excepción, de explotación sin contemplación de recursos y personas, para perpetuar su "infinito ímpetu de devoración de gentes y paisajes" (*El*

---

19. "This smooth Euclidean/Newtonian (to which I would add Kantian) space and time that frames both liberal and universal history was an erroneous fiction that permitted Mill to imagine the world as a connected and smooth surface, uniformly available to a fixed grid of knowledge".

revés 8-9). La barbarie de la civilización sería el "revés" constitutivo del proyecto civilizatorio global (Serje). La cosmópolis de Reyes es precisamente la reducción a una región del planeta del proyecto civilizatorio global en tanto es un impulso, con bastantes dosis de irracionalidad, por recrear a un nivel local el nexo civilizatorio que ata a nivel planetario el norte con el sur global, las tierras temperadas y las tropicales, a través de la economía extractiva que exporta frutos e importa manufacturas.

La cosmópolis segregacionista de Reyes no solo se devela como un microcosmos del avance del poder imperial del proyecto civilizatorio sobre el trópico, sino que se impone en contra de la espacio-temporalidad amazónica misma. En efecto, la cosmópolis exportadora de Reyes se consumará, precisamente, cuando el Amazonas como tal deje de existir: cuando sus particularidades ambientales —sus climas, sus enfermedades— sean saneadas, pero, sobre todo, cuando sus bosques sean convertidos en dehesas y sus habitantes sean reemplazados por los nuevos colonizadores de las tierras calientes.

Héroes de la civilización

Volvamos al salón de banquetes del *Explorer's Club* de la Universidad de Columbia, en Nueva York, donde Reyes dio su charla sobre sus exploraciones en el Putumayo. Ese salón de banquetes adornado con flora tropical —un espacio que parecería replicar un vapor de lujo que surcara las aguas del Putumayo—, llega a su fruición con un hecho simple pero elocuente: no será Rafael Reyes quien dará la conferencia sino sus hijos Rafael y Pedro Ignacio. Esa sustitución de personas termina por sacar de quicio el espacio. Los espectadores oirán las exploraciones de Reyes mientras ven al protagonista de la narración como si fuera una parte más, importada, de la flora tropical que adorna el *Explorer's Club*. Reyes, sin hablar, es el objeto de todas las miradas, efigie a ser apreciada como prueba viviente de la posibilidad de hacer de la Amazonía parte integral de Nueva York, como sinécdoque de la modernización. Del Putumayo a Nueva York, escenificada frente a los ojos del público está la posibilidad, en el cuerpo de Reyes, de capturar y disciplinar el espacio de la Amazonía para que se parezca —guiado por la partitura de la narración del expresidente— al salón selvatizado del *Explorer's Club* de la Universidad de Columbia.

Al analizar los primeros mapas producidos sobre el continente americano, Sloterdijk sostiene que se es el soberano, poseedor real de un territorio, una vez se decide sobre su aplanamiento, en tanto "solo se puede conquistar aquello en lo que se puede acotar con éxito una dimensión" (126). El mapa del Ferrocarril Interamericano diseñado por Reyes está enmarcado en la parte norte, arriba, desde donde viene el influjo civilizatorio, por las efigies dibujadas de Reyes y sus dos hermanos, Néstor y Enrique, "soldados de la civilización" (*Actas* 603), "dos héroes del trabajo y de la civilización del continente americano" (*A través* 19). La efigie de Reyes, en el centro, preside el aplanamiento del territorio, mientras ofrece ese triunfo a sus hermanos quienes "pagaron con sus vidas tamaña aventura [explotar quina y caucho en el Putumayo], y yo aminoro la honda pena de la ausencia de estos dos seres queridos, con el recuerdo de que ellos murieron cumpliendo con su deber y sintiendo yo, en el fondo de mi conciencia, cumplido este mismo deber, contribuyendo en mi esfera, al avance del progreso y de la civilización" (*Las dos Américas* xiv). No es una casualidad, sino una constante, que las formas de representar el avance de la civilización sobre el Amazonas tomen una narrativa militar. Los expedicionarios son soldados, la inmigración sobre esos territorios se concibe como una "invasión" y los muertos en dicha empresa se representan como héroes. Los delegados a la conferencia americana, celebrada en México, aprobaron todos en conjunto la confección de una placa en mármol, a ser exhibida en la catedral de Bogotá (y este religiosidad es elocuente), donde se dijera: "Los delegados a la Segunda Conferencia Internacional Americana reunida en México, en 1901 a 1902, a Néstor y a Enrique Reyes [los hermanos del general], muertos en servicio de la civilización de América" (*Actas* 604). Sloterdijk le atribuye la supervivencia de la figura del héroe en tiempos modernos a que este "sigue siendo útil allí donde la estatalidad [también podríamos pensar en otras formas de organización del poder] no domina la selva moral persistente" (118). La figura del héroe civilizatorio es una paradoja al igual que lo es la cosmópolis segregacionista de Reyes. Ambas hablan elocuentemente de la fuga a la irracionalidad del pensamiento espacial de Reyes que, en un exceso de razón, pretende, como un moderno Aguirre, hacerse disciplinador de la selva y de su gente, en un afán autoritario por mantener en funcionamiento, a todo trance, el nexo civilizador del trópico con el norte global.

Capítulo 5

La voz de los árboles: poesía, fiebre y movilidad en *La vorágine**

Al cuidado de la Universidad Javeriana de Bogotá está parte de la que fuera la biblioteca privada de José Eustasio Rivera (1888-1928). En ella llama la atención un libro en gran formato, pasta dura, portada a color y en relieve, con textos en español traducidos en columna paralela al francés. Su título es *A través de la América del Sur: exploraciones de los Hermanos Reyes* (1902). Como vimos en el capítulo pasado, este libro es un compendio de todos los tópicos civilizatorios para leer el trópico latinoamericano. Vista por Reyes, la Amazonía es el resultado de las metáforas conflictivas de El Dorado pero también del infierno verde (ahí murieron sus dos hermanos, uno por fiebres, el otro, según el general, comido por los "antropófagos"), una naturaleza tropical representada como un paisaje joven y en formación, un lugar intemporal pero actualizado en el pensamiento político-económico del liberalismo por la comodificación de sus frutos en fantasías agroexportadoras: abundancia de ríos para el transporte de mercancías por regiones insalubres donde cunden los mosquitos y las altas temperaturas. En definitiva, una contradictoria geografía esperando ser redimida por la agricultura y la inmigración europea.

En *La vorágine* (1924) Rivera toma los mismos materiales que propone Reyes en su fantasía civilizatoria y los reorganiza para brindar

---

1. Una versión anterior de este capítulo, titulada "La voz de los árboles. Fiebre, higiene y poesía en *La vorágine*", apareció en el *Bulletin of Hispanic Studies* (University of Liverpool) 91.2 (March 2014): 163-183.

un resultado completamente distinto. *La vorágine* es la historia de un hombre blanco, andino, civilizado al igual que el general Reyes —Arturo Cova— que desciende de las alturas andinas, primero a los Llanos y luego a las selvas, primero con la intención de huir con su amante Alicia, y luego, a medida que la novela transcurre y los sangrientos eventos cambian la percepción del protagonista, con el propósito de redimir a los indígenas, no de la selva y la barbarie, como lo quería Reyes, sino de la barbarie de los civilizados, de los agentes de la civilización. En su caso, los barones del cauchos: los Arana, los Zumaeta, los Barrera y los Funes.

Arturo Cova fracasa en su intento. Con ello confirma que la selva y sus habitantes no necesitan de redentores, llámense estos Reyes o Cova. Sin embargo, desde su propuesta estética el texto generado por ese fracaso hace una crítica demoledora a las fantasías civilizatorias en el trópico que, con el argumento de llevar la civilización (hoy desarrollo) a lugares fuera de su órbita de circulación, separan la naturaleza de la cultura y deshistorizan las maneras en que las comunidades han, concomitantemente, producido su entorno y han sido producto de él. Esta relación inextricable entre naturaleza y cultura, que proyectos civilizatorios como los de Reyes siempre quieren desmontar, la recrea Rivera desde el lenguaje con el que decide construir su novela.

La vorágine pone en tensión dos lenguajes habilitados por el productivo anacronismo de enviar a un poeta modernista como Arturo Cova a la selva colombiana de los años veinte del siglo pasado. El primer lenguaje es fruto de la mirada higienista de su tiempo y el otro, al oponérsele, se construye a partir de un lenguaje producto de la fiebre, articulado desde una gramática literaria muy afín al modernismo. En la tensión entre ambos lenguajes, uno higiénico que intenta separarse de la naturaleza y otro poético que, a través de la fiebre, logra comunicarse con ella (con la naturaleza, se entiende), se libera lo que quiero llamar *la voz de los árboles* como un discurso liberador, un resultado poético y político que surge de concebir a la cultura como extensión de la naturaleza y a esta como resultado de aquella. Al desestabilizar las tradicionales oposiciones entre naturaleza y cultura, ahora releídas bajo los lentes de lo higiénico versus lo antihigiénico (que llamaré poético), esta voz será el substrato que no logrará capturar el capital cauchero, erigiéndose como aquella parte de la naturaleza que se niega a convertirse en mercancía y que, al contrario, brinda una narrativa sobre la relación entre capital, trabajo y espacio.

En buena parte catapultado por el capital financiero y político producto de sus empresas comerciales, Rafael Reyes llega a la presidencia de Colombia en 1904. Con su pasado de empresario de quina y caucho, se constituyó en la antítesis de los presidentes letrados que lo antecedieron —Caro, Núñez o Marroquín— y, en ese sentido, supuso un quiebre con la república de las letras que durante el fin de siglo había administrado al país erigiendo la gramática como una máquina política de inclusiones y exclusiones (Deas, "Miguel Antonio Caro y amigos" 30). Su gobierno incentivó el desarrollo industrial y agrícola, organizó la economía nacional arruinada tras la Guerra de los Mil Días (1899-1902) y logró sentar los pilares del auge económico de las siguientes dos décadas (Henderson 59). En efecto, una fortalecida industria conocería sus mayores victorias en las primeras décadas del siglo xx convirtiendo al país en una economía de exportación cafetera. Una paz que parecía duradera se instaló en la República bajo el gobierno de un fugaz Partido Republicano de tendencia conservadora que incluía a algunos pocos moderados funcionarios liberales. Presidentes como Pedro Nel Ospina (1922-1926), aunque ligados por sangre a viejas glorias del conservatismo, consolidaron su fortuna en la industria cafetera. Se puede decir hasta cierto punto que la Colombia del primer cuarto de siglo ya no era un país gobernado por literatos (Uribe Celis 76), lo cual, lejos de constituir una redención, sirvió para erigir, a partir de sus restos, nuevos discursos provenientes de la biología, la higiene y la medicina que fueron movilizados con igual o mayor poder disciplinante (Castro-Gómez, *Tejidos* 52). Así, el comienzo del siglo xx en Colombia exhibió el ocaso del poeta y el gramático como agentes civilizadores, un cambio que Rivera, como veremos, capitalizaría literariamente.

La revolución en transportes durante las primeras décadas del siglo xx impactó las formas de imaginar la geografía de la "República Burguesa", como llama Henderson a la Colombia del primer cuarto de siglo (81), pues presentó la industrialización como un deseo que, finalmente, parecía convertirse en realidad (Castro-Gómez, *Tejidos* 17): "Al principio del periodo los ciudadanos vivían más o menos como siempre lo habían hecho –viajaban a pie o a lomo de animal. Al final de esos 25 años

[1900-1925] viajaban por aire, carro o trolley eléctrico"[1] (Henderson 89). Con la apertura del canal de Panamá en 1914, el consiguiente crecimiento del comercio en la región y su correlato en la llamada "fiebre ferrocarrilera" —relativa si se la compara con el resto de Latinoamérica—, se conectaron finalmente las cálidas zonas portuarias con las templadas franjas cordilleranas y estas con las zonas de consumo y alta densidad poblacionales en tierras frías. Esto horizontalizó la geografía andina del centro y noroeste del país haciendo de los años veinte en Colombia un periodo de extraordinaria compresión espaciotemporal (Harvey, *Compolitanism* 124): "Trescientos años después de la ocupación española, la colonización de extensas vertientes de tierra templada, el hábitat natural del cafeto, anudó para siempre las tierras frías con las tierras calientes de Colombia" (Palacios 56). Sin embargo, como veremos, vastos territorios de la nación, al sureste y suroeste de la capital, en los Llanos orientales y en las selvas limítrofes, no se conectarían todavía por mucho tiempo con el interior andino ni con las costas atlántica o pacífica.

La indemnización estadounidense por la pérdida de Panamá por un monto de 25 millones de dólares, los préstamos internacionales y las remesas por las ventas del café inundaron de divisas el mercado nacional, enriquecieron extraordinariamente a algunos y redistribuyeron las fuerza laboral andina llevándola a las cordilleras occidentales para trabajar en las haciendas cafeteras. Esto encareció ciudades como Bogotá, al punto de hacerla más cara incluso que París o Buenos Aires. Colombia viviría durante los años diez y veinte lo que se conocería en la historiografía colombiana como "La danza de los millones" (Melo 90), un periodo de engañosa afluencia económica catapultada por el café y la deuda, que hacía creer que las fantasías económicas de los liberales del siglo XIX se estaban cumpliendo (Henderson 123).

La novela de un aguafiestas

En este contexto de euforia capitalista, de relativa paz y optimismo, Rivera concibe, escribe y publica *La vorágine*, una novela extraña —la novela de un aguafiestas— en tiempos en que "todo debía moverse,

---

1. "at the beginning of the period citizens lived more or less as they always had — traveling on foot or on the backs of animal. At the end of those 25 years [1900-1925] they traveled by air, automobile or electric trolley".

circular, desplazarse. No solamente el dinero y los objetos, también los cuerpos, las ideas y los hábitos tenían que moverse, so pena de quedarse 'retrasados' en el creciente movimiento universal hacia el progreso" (Castro-Gómez, *Tejidos* 64). *La vorágine* es un texto que recorre penosamente y durante nueve meses, precisamente, los territorios que el *boom* cafetero no alisó; propone la fuga de un personaje anacrónico para los años veinte —un poeta decimonónico como Arturo Cova en tiempos de la avanzadilla de ingenieros y médicos como portaestandartes del progreso— a territorios donde la movilidad no es una sinécdoque del progreso, sino una forma en que opera a sus anchas el capital sobre el espacio para convertirlo en una geografía del horror de donde no se puede ni salir ni permanecer sin sufrir enfermedades, vejámenes o directamente la muerte. En los Llanos orientales colombianos y luego en la selva se generará una relación entre el espacio tropical y los cuerpos cuya interacción conflictiva se dará como fruto de una (in)movilidad impuesta por la violencia. La novela exhibe cuerpos esclavizados por la deuda, cuerpos detenidos por la enfermedad tropical, cuerpos que al escapar se pierden y vuelven al mismo punto, cuerpos apestados que no pueden parar de transitar porque no los dejan encallar en puerto alguno por miedo al contagio, y, claro, cuerpos que no pueden volver de la selva y son "devorados" por ella.

Así, *La vorágine* es el revés de la euforia capitalista del primer cuarto del siglo XX, convierte en pesadilla el sueño de movimiento en las ciudades donde los discursos eugenésicos de estirpe Neo-Lamarckiana pretendían regenerar la población a través de prácticas higiénicas para lograr que se fortificara, se reprodujera, transitara y consumiera (Stepan, *"The Hour"* 74; Helg, "Los intelectuales" 42). La imagen espacial de una vorágine, como cárcel o infierno verde, dibuja el horror de una movilidad incontrolada: un remolino que nos succiona en una espiral incesante y del cual no podemos salir, a pesar de que queremos pasar a través suyo. Más aún, la imagen fluvial de una vorágine, con su fuerza centrípeta, brinda una representación opuesta a la imagen centrífuga de la modernización, que pretende diseminarse con naturalidad, politizando, así, el supuesto avance del progreso. Al mostrar del haz su envés, Rivera escribió su novela con los mismos materiales a partir de los cuales el *boom* capitalista narró su euforia cafetera en la Colombia de los años veinte: los discursos sobre la higiene como domesticación de la tierra caliente y la inmovilidad como el enemigo principal del capitalismo (Castro-Gómez, *Tejidos* 13).

A finales del siglo xix y comienzos del xx hay una producción considerable de textos médicos colombianos sobre lepra, elefantiasis, fiebre amarilla, malaria e, incluso, sobre la insolación. En textos como *Contribución a la patología de los países cálidos: la fiebre amarilla en el interior del país* (1891) de Luis Cuervo Márquez o *Apuntes sobre la higiene de las tierras calientes en Colombia* (1914) de Bernardo Samper, hay una preocupación camuflada que esconden las asépticas narrativas médicas que ahí se exponen: ¿cómo responder desde la higiene al desplazamiento de la fuerza laboral dentro del territorio nacional, una masiva movilización de frontera arriba y abajo de los Andes, desencadenada por el *boom* cafetero, que conllevaba drásticos cambios de temperatura para los migrantes y, por ende, amenazas a la salud de la población productiva de la nación? Juan Bautista Londoño, el médico higienista que más escribió sobre la colonización antioqueña (Vásquez Valencia 131), aconseja cuáles deben ser los lugares adecuados para la colonización de la región interandina donde el cultivo del café se multiplicaba durante el comienzo del siglo:

> [...] no le teme el colono antioqueño al hambre sino al clima. Le huye a las tierras calientes porque si para este es cosa cierta que en ellas se consigue más pronto qué comer, también lo es que las enfermedades aminoran los días de trabajo y con frecuencia la muerte acaba con la minúscula y pobre colonia. Por eso el antioqueño pobre habita siempre las cuchillas, o climas templados o fríos [...] porque en ellos la familia se desarrolla mejor [...] el instinto de conservación ha guiado a los briosos trabajadores antioqueños (Londoño 65).

En *La vorágine* la fuga de Cova y Alicia fuera de Bogotá sigue, exactamente, el camino opuesto al del colono antioqueño tal cual fue narrado por Londoño y, al hacerlo, va en contravía de la geografía que el *boom* cafetero había logrado conectar entre los Andes y costas del noroeste del país. Ambos andinos, Cova del Tolima y Alicia de Bogotá, dejan atrás la cordillera de clima frío y se internan en las llanuras tropicales de clima cálido, los Llanos del Meta y Casanare: el sureste del país. La narración de la entrada de la pareja a los Llanos orientales responde a la geografía médica que había narrado estos paisajes como lugares de la enfermedad donde cundían "climas malarios" (Cuervo Márquez, *Contribución* 39). Por ejemplo, al principio de la novela leemos al general Gámez y Roca cuando le dice a Cova: "¡Déjeme la muchacha [a Alicia], porque soy amigo de sus papás y en Casanare se le muere!" (Rivera 88). En esa gramática, particularmente en el "se" accidental, está la promesa de una geografía mortífera para quienes no estén aclimatados y busquen transitar por ella.

Antes del primer amanecer en los Llanos, todavía bajo un clima fresco, don Rafo, el baquiano de la pareja de trásfugas, oficia de sacerdote que los divorcia a Cova y a Alicia de los Andes. Luego de la famosa descripción del amanecer en el Llano desde una estética finisecular (Molloy, "Contagio" 494) y una vez se va acercando el calor del mediodía, el Llano comienza a influir sobre los cuerpos como una fuerza mortífera que somete a los viajeros al influjo de los elementos, sin mediación alguna, alienando al hombre de la naturaleza, paradójicamente, desde la naturaleza misma:

> El aire caliente fulgía como lámina de metal, y bajo el espejeo de la atmósfera, en el ámbito desolado, insinuábase a lo lejos la masa negruzca de un monte [...]. Con frecuencia me desmontaba para refrescar las sienes de Alicia, frotándolas con un limón verde [...]. Aunque yo fingía no reparar en sus lágrimas, inquietábame el tinte de sus arreboladas mejillas, miedoso de la congestión. Mas imposible sestear bajo la intemperie asoleada: ni un árbol, ni una gruta, ni unas palmas (Rivera 92).

En esta primera secuencia de la pareja andina sometida a la potencia enfermiza del clima tropical de baja altura, el cuerpo de Alicia —quien nunca había montado a caballo (tal vez en automóvil o en tranvía en Bogotá)— será un campo de batalla higiénico por interponer entre ella y el medio ambiente capas de tela, untar líquidos y prender fogatas para suavizar el contacto del clima y sus agentes (mosquitos, gusanos, miasmas) con su piel y, así, impedir que ella se enferme: "Limpió don Rafo con el machete las malezas cercanas a un árbol enorme, agobiado por festones amarillentos, de donde llovían, con espanto de Alicia, gusanos inofensivos y verdosos [...] lo cubrió [al chinchorro de Alicia] con el amplio mosquitero para defenderla de las abejas [...] ávidas del chuparle el sudor" (Rivera 93). El cuerpo andino de Alicia es el receptáculo de toda clase de rudimentarias tecnologías para impedir que el medio opere sobre su cuerpo, llevando a Cova y don Rafo a implementar casi todas las instrucciones contenidas en manuales al uso que, como los de Bernardo Samper (1914), prescribían formas de aclimatación para realizar una cierta profilaxis sobre el cuerpo en la tierra caliente que incluye la destrucción de los mosquitos, protección de sujetos contra las picaduras y la supresión de las aguas estancadas (Samper, *Apuntes sobre higiene* 99). Es el caso de instrumentos tales como el "mosquito house" (Samper 105) o consejos donde se recomienda el uso de ciertos uniformes para evadir la potencia de los elementos naturales. Bernardo Samper recomienda: "Cuando después del crepúsculo sea indispensable salir al aire libre, es menester cubrirse las manos con guantes fuertes de algodón y llevar un sombrero de alas anchas, provisto con un velo cuyas extremidades se introducen por debajo del saco. El pantalón se usará por entre las botas o, mejor aun, resguardado por polainas cortas" (107). En las fotografías del propio Rivera en la población de Yavita, mientras hacía parte de la comisión de límites en la frontera colombovenezolana, es posible ver las vestimentas profilácticas ordenadas por Bernardo Samper sobre el cuerpo del poeta en expedición; una vestimenta que, tras el discurso médico, deja ver la medicina tropical como política imperial (Curtin 106), pero replicándola a un nivel local: el viajero andino en tierra caliente parece un explorador inglés en la India: "Los blancos en la India [lo mismo que los blancos andinos en tierra caliente FMP] comenzaron a verse a sí mismos como plantas exóticas en tierra extraña: sentimientos de superioridad y vulnerabilidad se convirtieron en dos lados de la misma moneda imperial[2]" (Livingstone 107). O, como diría Taussig, al ver fotografías como esta (ver imagen 8): "similares a fotografías que hoy vemos frecuentemente de trabajadores y funcionarios de seguridad estatal que limpian deshechos tóxicos o investigan ataques de ántrax[3]" (Taussig, *My Cocaine* 33). El uniforme colonial que cubre el cuerpo del agente civilizador, como se ve abajo, también muestra la frontera política entre Colombia y Venezuela a un nivel biológico. En ese afuera y adentro del país, el cuerpo del hombre andino se protege de la intemperie mostrando quien está fuera de lugar, marcando la diferencia con el nativo.

2. "Whites in India, came to regard themselves as exotica in foreign soil: feelings of superiority and vulnerability were two sides of the same imperial coin".

3. "similar to pictures we see all too often today of workmen and state security officers clearing out toxic dumps or investigating anthrax".

La mirada higiénica en *La vorágine* intenta separarse de la naturaleza como si fuera un espacio tóxico. Al hacerlo, convierte el clima en una potencia que aliena al hombre frente al trópico. El clima es representado como una fuerza sobrenatural que amenaza inclusive a los animales, sujetos que están por fuera de la órbita profiláctica de la medicina tropical y que, por tanto, deben (y deberían poder) soportar el rigor de la intemperie. En medio de la búsqueda de Alicia por las selvas del Vichada, Cova recuerda una salida a cazar en el Llano, cuando vivía en La Maporita con Franco y Griselda. En vez de referirnos la muerte a manos suyas del "venadillo recental" que pretendía cazar para Alicia, nos cuenta la manera en que la fuerza del sol veraniego en el Llano altera los ciclos naturales de reproducción de los animales, separa a la madre de su criatura, matando a los animales del calor, en un paisaje donde la naturaleza opera sobre sí misma hasta eliminarse. Al hacerlo, el clima expulsa de la naturaleza al hombre que permanece completamente alienado mientras presencia un apocalipsis del que no hace parte:

Calcinaba el verano la estepa tórrida, y las reses en el fogaje del calor, trotaban por todas partes buscando agua. En los meandros de árido cauce escarbaban la tierra del bebedero unas vaquillonas, al lado de un caballejo que agonizaba con el hocico puesto sobre el barrizal. Una bandada de caricaris cogía culebras, ranas, lagartijas, que palpitaban locas de sed entre carroñas de cachicamos y chiguires [...]. Empero, una novilla recién parida, que se destapó las pezuñas cavando el secadal, regresó a buscar a su ternerillo por ofrecerle la ubre cuarteada. Echóse para lamerlo, y allí murió. Levanté la cría y expiró en mis brazos (Rivera 215).

En esta visión futurista, extraída de un mundo en catástrofe climática, los animales no se aperciben del hombre, pues su preocupación principal no es conservar la vida frente al cazador sino salvarla del clima. Capturados por un espacio hecho infinito por el imperio del sol, se desesperan por escapar, pero mueren lentamente, agonizando. Cova pretende cazar ese mismo "venadillo recental" que ahora, por acción del clima, muere en sus brazos, despojándolo a él de toda agencia, haciendo antiépica la cacería y superfluo al hombre. Este paisaje inhabitable frente al cual Cova no puede hacer nada más que acariciar cadáveres es el trópico prehigiénico que se erige como una advertencia y como un estímulo para intervenir sobre el espacio en aras de hacerlo habitable para el asentamiento pero también para el tránsito, suavizando la impronta del clima y evitando la enfermedad. La mirada higiénica se aliena frente a la naturaleza a partir de una cierta especificidad del discurso literario que permite poner a distancia al hombre del ambiente que lo rodea.

En su libro *Jungle Fever* (2012), Charlotte Rogers ha mostrado cómo Rivera en su novela construye una narración deliberadamente deshilvanada a partir de una apropiación literaria del discurso médico para dar cuenta, en primera persona, de las inestables y antinaturales oposiciones entre cordura y locura, colonizadores y colonizados, civilización y barbarie en medio de la selva tropical (Rogers 92). Al rastrear en ensayos biográficos y documentos médicos la relación del poeta con su propia enfermedad, Rogers nos hace ver a un Rivera conocedor de los discursos médicos de su tiempo y sabedor, también, de la legitimidad que podrían infundirle dichos discursos a su texto: "El vocabulario médico es usado como una herramienta descriptiva en la novela. Este lenguaje es la columna vertebral de la representación del trópico y de sus habitantes, infundiéndolos de un aura de decadencia y enfermedad[4]" (Rogers 92). La mayor contribución de Rogers a la larga producción crítica sobre la novela es conectar a *La vorágine* con los discursos médicos sobre la degeneración de la raza en Colombia durante los años veinte (Rogers 102), un debate que constituye también el envés, pero desde una posición conservadora, a la efervescencia capitalista en Colombia. Rogers encuentra que el debate de la degeneración racial por el clima se deja traslucir en la novela de manera tal que Colombia como nación en el texto yace bajo la amenaza de la enfermedad. Rogers propone a Rivera como un agente de las últimas teorías eugenésicas para salvar a la nación, sosteniendo que con *La vorágine* él construía el argumento de que "Colombia desesperadamente necesitaba que la medicina sofisticada y el imperio de la ley de las áreas urbanas se expandiera hacia las debilitantes [ill] y débiles [ill-defined] fronteras del país[5]" (Rogers 105). Por otra parte, Rogers lee el texto como un picaporte que

---

4. "medical vocabulary is used as a descriptive tool in the novel. It forms the backbone of the representation of the tropics and its inhabitants, infusing them all with an aura of sickness and decay".

5. "Colombia desperately needed the sophisticated medicine and the rule of law established in urban areas to spread to the ill and ill-defined frontiers of the country".

oscila entre el diagnostico de la enfermedad como agencia política y la novela como producto literario que se sirve de la enfermedad misma (Rogers 93). Sin embargo, ella toma un camino que la novela, desde sus materiales, no contempla: la degeneración de la raza debido al clima tropical, un tema en boga que los textos de pensadores conservadores como Silvio Villegas, Miguel Jiménez López y Laureano Gómez llevarán a un determinismo geográfico tal que les permitirá decir al final de la década, amparados en la ciencia, cosas como esta: "esta tierra [Colombia] no es el marco natural espontáneo para una cultura humana" (Gómez 75). Estos debates no se dejan traslucir en *La vorágine* como quiera que en ella es el clima y no el influjo de este sobre la raza el que desestabiliza las fuerzas civilizatorias en el trópico. En efecto, en Rivera, el clima no es un incontestable degenerador de la raza, tal como lo creían los eugenistas mendelianos, para quienes no era posible, a través de políticas higienistas, evitar el influjo degenerativo del trópico sobre la raza (Stepan, *"The Hour"* 11). Por el contrario, históricamente, Rivera como intelectual se alinea más con las tesis melioristas del tipo Neo-Lamarckiano, también en boga entonces, a través de la cuales se pretendía operar higiénicamente sobre el medio para mejorar "la raza" (como sinónimo de pueblo) borrando las fronteras entre lo nutritivo (nurture) y la naturaleza (nature) (Stepan, *"The Hour"* 87)

Al leer a Rivera como un hombre imbuido en los debates eugenésicos de su momento, es interesante ver el rol que juega la enfermedad, a un nivel literario, en distribuir los cuerpos en el espacio de la novela y, por tanto, la agencia política que cumple el texto en mostrar la factura política de ciertos lenguajes para referirse al trópico de baja altura en el pensamiento geográfico colombiano. Rivera usa en la novela lo antihigiénico literariamente —el lenguaje de la fiebre— para mostrar lo que verdaderamente hace de esos espacios lugares inhabitables: su captura por parte de la industria genocida del caucho.

Poesía e higiene

El lenguaje literario de la enfermedad que moviliza Rivera, en particular a través de lo que llamaré el lenguaje de la fiebre, deslinda los tópicos coloniales para referirse a la selva desde la realidad social que los produce, devolviéndole a las élites, a través del envío del manuscrito de la selva a

Bogotá al final de la novela, la gramática (y durante los años veinte, la ciencia) con la que construyeron la selva como un lugar inherentemente enfermo e inhabitable. En las tensiones ideológicas que se forman entre lo higiénico y lo antihigiénico, lo civilizado y lo bárbaro, lo cuerdo y lo demente, se puede explicar la decisión de Rivera de arrojar a un poeta modernista, descendiente en línea directa del José Fernández de J. A. Silva, a las selvas del Vichada (Molloy, "Contagio" 493). En Cova conviven, por un lado, la mirada higienista en boga durante los años veinte en Colombia, con los arrebatos líricos de la poesía romántica del siglo XIX —sobre todo en su invocación de la selva que empieza, famosamente en la segunda parte, con el "Oh selva, esposa del silencio, madre de la soledad y la neblina" (Rivera 189)— y, por otro lado, en la tercera parte, ambos discursos conviven con el lenguaje de la poesía modernista hispanoamericana que le permite articular a Rivera los delirios enfebrecidos de su protagonista. El gesto trasgresor de *La vorágine*, y que habla elocuentemente de un cambio en el espíritu de la época, es que el lenguaje poético de Cova es el que le sirve a Rivera para articular un lenguaje antihigiénico con el cual desalienar la relación con la selva. La poesía modernista movilizada como lenguaje antihigiénico es un gesto poderosísimo que quiere desmarcar a la selva de las metáforas con que las élites colombianas leyeron estos espacios (French 135) cuestionando los lenguajes higienistas al uso que se referían a la selva como un espacio de la enfermedad, escenificando una distancia entre el emisor del mensaje, la enfermedad y el espacio producido por el capital. Esta operación literaria de distanciamiento, *La vorágine* la escenifica por intermedio del tratamiento literario de la enfermedad en su relación con la mirada higiénica. Fruto de esa tensión surge una voz que a un tiempo escapa al discurso científico de la higiene y cuestiona la espacialidad producida por el capital: la voz de los árboles.

Quiero leer en detalle dos escenas para mostrar cómo opera esta relación entre mirada higienista, lenguaje de la fiebre y la final liberación de lo que llamo la voz de los árboles. Durante su estadía en casa de Zubieta, el hacendado alcohólico que especula con reses en el Llano, Cova observa de esta manera el espacio:

La casa pajiza y a medio construir, desaseada como ninguna, apenas tenía habitable el tramo que ocupaba yo. La cocina, de paredones cubiertos de hollín, defendía su entrada con un barrizal, formado por las aguas que derramaban las cocineras, sucias, sudorosas y desarrapadas. En el patio, desigual y fragoso, se secaban al sol, bajo el zumbido de los moscones, cueros de reses sacrificadas, y de ellos desprendía un zamuro sanguinolentas tiras. En el caney de los vaqueros vigilaban, amarrados sobre perchas, los gallos de riña, y en el suelo refocilábanse perros y lechones (Rivera 149).

Como espacio opuesto a La Maporita, donde, "complacidos [Alicia y Cova] observab[an] el aseo del patio" (Rivera 99), este espacio antihigiénico es un espacio donde todo se conecta, indisciplinadamente, marcando continuidades entre cuerpos humanos y animales, objetos y prácticas. La cocina se toca con el barrizal de afuera que, a su vez, lo forman las aguas que arrojan las cocineras que, contaminadas del trabajo y del agua, lo ostentan en forma de sudor. Al igual que en el patio las moscas tocan la carne cruda y esta arroja al piso sangre, esta continuidad queda replicada por la de gallos, hombres, perros y lechones "refocilándose" en el mismo espacio del caney. La mirada higienista que escribe estas escenas se separa del espacio —que más arriba analicé con respecto al clima en medio de una escena de caza— e impele al hombre a apartarse de la naturaleza y juzgar su continuidad enfermiza desde la separación.

Al contrario de la mirada higiénica, la fiebre en *La vorágine* muestra la conciencia de la alienación del hombre frente a la naturaleza. Es decir, el lenguaje de la fiebre en Rivera como lenguaje antihigiénico nos permite observar la alienación del sujeto blanco, andino, frente a la selva. Cova identifica como de "pavura" el momento en que se da cuenta de la alienación de su grupo y de sí mismo por causa de la fiebre, "el día en que sorprendí a la alucinación entre mi cerebro" (Rivera 227-228). Aparentemente lúcido en el no muy salubre espacio de las Barracas del Guaracú donde "ejercit[a] la letra [...] en vez de aburrir[se] matando zancudos", Cova recuerda un episodio de delirio producido por la fiebre mientras transitaba por la selva en busca de Alicia. Consciente de padecer de fiebre, nos cuenta que sufre "la tortura de que mi propio ser me causara recelo" (Rivera 228). Por efectos de la fiebre oye a la naturaleza hablarle al mismo tiempo que no logra comunicarse con sus compañeros de expedición, lo cual muestra en parte que "el lenguaje de la naturaleza se hace inteligible para Cova sólo en un momento de delirio casi fatal[6]" (Alonso 137). A diferencia de Alonso, me parece que lo que Cova oye no es únicamente el lenguaje de la naturaleza —autónoma e inasible— sino un cierto lenguaje producto de la inextricable unión entre la naturaleza y la cultura que da testimonio de la incursión de la civilización en el trópico. Tendido sobre las raíces de un árbol y tras burlarse de la enfermedad en un arrebato de soberbia, Cova, sin embargo, empieza a registrar los síntomas de la siguiente manera:

> Empecé a sentir que estaba muriéndome de catalepsia. En el vahído de la agonía me convencí de que soñaba. *¡Era lo fatal, lo irremediable!* Quería quejarme, quería gritar, pero la rigidez me tenía cogido y solo mis cabellos se alborotan, con la premura de las banderas durante el naufragio. El hielo me penetró por las uñas de los pies, y ascendía progresivamente, como el agua que invade un terrón de azúcar; mis nervios se iban cristalizando, retumbaba mi corazón en su caja vítrea y el globo de mi pupila relampagueó al endurecerse (Rivera 229; cursivas mías).

Narrar la fiebre pasa en la novela por la ingente referencia metafórica, tan cara a los modernistas, donde un objeto refiere a otro en una reproducción de imágenes y símbolos que pierden, a veces, su referente inicial en medio del exceso de la escritura (Aching 147). Los cabellos que se baten como banderas, el cuerpo como un terrón de azúcar y el corazón como una caja vítrea, todos en la misma oración, convierten al cuerpo en un objeto al tiempo que lo liberan en una serie de referentes armados desde refinadas construcciones, estetizando la experiencia de un pobre hombre al fin y al cabo perdido en la selva y sufriendo de fiebres, arrojado sobre las raíces de un árbol.

Elzbieta Sklodowska dice que "la palabra de visos modernistas viaja con Cova desde Bogotá, a través de los llanos, al corazón mismo de la selva, y, en la medida en que es descontextualizada, adquiere valores expresivos nuevos" (21). ¿Qué valores expresivos nuevos pueden surgir de la reactivación de la estética modernista en tiempos en que las vanguardias emergían en las principales ciudades latinoamericanas desarticulando las formas poéticas tradicionales? Carlos Alonso ha marcado las tensiones de Rivera frente al surgimiento, durante los

---

6. "the language of nature only becomes inteligible to Cova in an instance of near-death delirium".

años veinte, de la corriente vanguardista de Los Nuevos en Colombia (152). El reto que Los Nuevos supusieron para la estética *centenarista* —grupo poético al que pertenecía Rivera, derivado de los festejos del centenario de la Independencia, altamente civilista, y ceñido a los principios formalistas del modernismo (Uribe Celis 96)— se resolvió, de acuerdo con Alonso, en el lenguaje escenificado en *La vorágine* como una exhibición del fin de una forma de controlar el mundo exterior a través del lenguaje. En ese sentido, dice Alonso, "*La vorágine* es testimonio de *poiesis* a través de su contra ejemplo[7]" (152). Es decir, *La vorágine* sería la puesta en escena, a partir del caos y exceso de su composición, del ocaso del modernismo como forma depurada para dar cuenta y dominar la realidad.

Aunque fundamental para entender el gesto anacrónico de Rivera y el reto vanguardista de su tiempo, me parece que la carga distanciadora que supone emplazar a un poeta como Cova en la selva cauchera de los años veinte, es también una reflexión sobre las formas a través de las cuales se pueden desnaturalizar ciertas formas de comprender el devenir del mundo, por ejemplo desde la civilización, que articula al hombre como su sujeto privilegiado y al progreso como su narrativa temporal. Los valores expresivos del modernismo, extirpados de su contexto, reactivan el sustrato crítico que siempre había caracterizado a los modernistas frente a los avances tecnológicos de su tiempo (Aching 147). Rivera escoge desplegar una estética anacrónica en su personaje. Al representar este desfase temporal, desmarca el avance de la civilización sobre la selva de su pretendida naturalidad.

La conciencia de este lenguaje no puede escapar al propio Rivera, que pone en boca de Cova, al intuirse en peligro de morir la expresión: "¡Era lo fatal, lo irremediable!", una clara e ineludible referencia al poema de Ruben Darío titulado "Lo fatal", uno de sus más conocidos, donde articula la angustia del hombre ante la conciencia de morir. Sin embargo, a diferencia del poema de Darío, cuyo primer verso dice "Dichoso el árbol, que es apenas sensitivo" (Darío 297), centrando la experiencia sensitiva del mundo en el hombre, Rivera pone en crisis, desde sus propios materiales, la voz del poeta modernista alrededor del cual se organiza el mundo, y decide darle voz a ese árbol al cual Darío, dueño de todos los signos, no osaba darle agencia. Fruto del

---

7. "*La vorágine* as a statement of *poiesis* by counterexample"

lenguaje de la fiebre, generado, como vimos, a partir de una gramática afín al modernismo, oímos al árbol de caoba hablar, a cuyos pies-raíces delira el poeta:

> Aterrado, aturdido, comprendí que mis clamores no herían el aire, sin emitirse, como si estuviera reflexionando. Mientras tanto, proseguía la lucha tremenda de mi voluntad inmoble. A mi lado empuñaba una sombra la guadaña y principió a esgrimirla en el viento, sobre mi cabeza [...]. Entonces la caoba meció sus ramas y escuché en sus rumores estos anatemas: Picadlo, picadlo con vuestro hierro, para que experimente lo que es el hacha en la carne viva ¡Picadlo aunque esté indefenso, pues él también destruyó los árboles y es justo que conozca nuestro martirio! (Rivera 229).

La estética modernista como motor que le da voz a los árboles, al tiempo que despoja al poeta del control del mundo, abre la experiencia a oír y procesar otros elementos que pueden abrirle nuevas formas de comprenderlo y, con ellos, hacer una crítica del progreso desde sus víctimas: aquellos sin voz, hombres y árboles. Teatralizar la fiebre desde el lenguaje modernista abre la posibilidad para que los árboles hablen, permitiéndole a Cova entender su alienación frente a la selva. Es el lenguaje de la fiebre —el delirio de oír a la naturaleza intervenida por la civilización— el que le hace comprender que el hombre produce al espacio y este, a su vez, produce al hombre en una relación de continuidad. Como lo ha anotado Mejías-López (382), hay una simbiosis entre el cuerpo de los caucheros y el árbol de siringa en la famosa escena donde Cova, sufriendo de beriberi, siente su pierna como si fuera de caucho, sin poder moverse de la tierra (Rivera 374). La voz de la selva que Cova escucha le dice que al picar caucho él está picando a otros hombres. Esto le hace entender que la explotación de la naturaleza conlleva la dominación de los hombres (Harvey, *Justice* 134).

La voz de los árboles se resiste a la dominación del capital, mostrando que no todo puede ser reducido a mercancía. En *La vorágine* hay una secuencia narrativa que escenifica el problema de imaginar un futuro para el trópico fuera del libreto del progreso. En medio de su atormentada búsqueda de Alicia y Griselda, Cova es presa, una vez más, de uno de sus raptos de ira. Esta vez se debe a que Pipa, el mestizo que guía a la comitiva, parece haber sido —a ojos de Cova— envenenado por los indios. Cova luego se da cuenta que el guía está

tendido en el piso, babeando, a causa de un viaje de yagé, un alucinó-
geno medicinal producido a partir de la cocción de cortezas de árbol.
Siempre ambivalente, Cova trata de instrumentalizar a Pipa como si
fuera un oráculo. Piensa que las alucinaciones del guía pueden llevarlo
a encontrar a Griselda y a Alicia. Cova narra las que él llama "visiones estrafalarias" del alucinado Pipa sin poderse separar de las suyas
propias:

> [Pipa] Dijo que los árboles de la selva eran gigantes paralizados y que de
> noche platicaban y se hacían señas. Tenían deseos de escaparse con las
> nubes, pero la tierra los agarraba por los tobillos y les infundía la perpe-
> tua inmovilidad. Quejábanse de la mano que los hería, del hacha que los
> derribaba, siempre condenados a retoñar, a florecer, a gemir, a perpetuar,
> sin fecundarse, *su especie formidable, incomprendida*. El Pipa les entendió
> sus airadas voces, según las cuales debían ocupar barbechos, llanuras y
> ciudades, hasta borrar de la tierra el rastro del hombre y mecer un solo
> ramaje en urdimbre cerrada, cual en los milenios del Génesis, cuando Dios
> flotaba todavía sobre el espacio como una nebulosa de lágrimas (Rivera
> 213, cursivas mías).

Plenos de agencia, los árboles aparecen como una especie incomprendida. Debido a la distancia creada por el texto entre Cova y Rivera,
alimento de tanta energía interpretativa, la conspiración de los árboles
le llega al lector muy mediada, primero, por las alucinaciones de Pipa,
luego por lo que este entendió, luego por la interpretación de Cova
y, por último, por ese grito coviano donde se confunden el deseo y
el terror, la amenaza y la redención: "¡Selva profética, selva enemiga!
¿Cuándo habrá de cumplirse tu predicción?" (Rivera 213). Los árboles
como "especie incomprendida" producen el relato alucinado de Pipa
—a través de la ingesta de las corteza del yagé— y son producidos
como tales, como "incomprendidos" por la literatura, por la multitud
contagiada de voces que visibiliza el complejo entramado del texto.

La continuidad antihigiénica naturaleza-hombre, habilitada por el
lenguaje poético de la fiebre, prolifera en *La vorágine*, sobre todo en
la segunda y tercera parte de la novela. Inclusive las fotos que trae la
primera edición donde aparece un cauchero picando un árbol de caucho (imagen 9) hablan elocuentemente de ello: el cauchero trabaja casi
sumergido en la naturaleza, las líneas de continuidad entre sus pies y
la maleza, como las del tronco y la manigua, se borran.

Una vez Cova y los expedicionarios se han internado en la selva y sufren con más frecuencia de fiebres, esa continuidad toma el nombre de contagio. Los mosquitos como plaga de los caucheros y los caucheros como plaga de los árboles trazan una continuidad que zanja la alienación de la mirada higiénica sobre la naturaleza. El trabajo de picar caucho a la intemperie, sin métodos de separación del hombre frente a la naturaleza, hace que el trabajo determine la relación entre hombre y espacio: "mientras le ciño al tronco goteante el tallo acanalado del caraná, para que corra hacia la tazuela su llanto trágico la nube de mosquitos que lo defiende chupa mi sangre y el vaho de los bosques nubla mis ojos" (Rivera 289). En su ensayo sobre *La vorágine*, Sylvia Molloy encuentra que el valor artístico de *La vorágine* está en el contagio como técnica narrativa para articular los diversos relatos que componen la novela en voces parecidas y superpuestas. *La vorágine* como "texto enfermo" ("Contagio" 501) pone en escena la suplantación de voces, como un correlato literario de la fiebre, que también, pienso, pone en relación de continuidad antihigiénica a un mismo tiempo los cuerpos y los árboles, las voces y los hombres.

Muchos críticos[8] han visto *La vorágine* como relato de viaje y, en ese sentido, como un camino de aprendizaje. La mirada higienista del Llano en la primera parte, si bien no se separa del todo de Cova, se tensiona productivamente una vez en la selva con las intervenciones de la fiebre sobre el cuerpo y la voz de los personajes. Habilitada por las particularidades de lo poético, la fiebre libera la voz de los árboles y pone en relación enfermedad, cuerpos, prácticas y espacios. La toma de conciencia de la alienación frente a la naturaleza, que se intensifica a medida que progresa la narrativa, se celebra con la famosa canción o lamento del cauchero que abre la tercera parte de la novela y cuyo estribillo emblemático es: "¡Yo he sido cauchero, yo soy cauchero! ¡Y lo que hizo mi mano contra los árboles puede hacerlo contra los hombres!" (Rivera 289). Esta suprema desalienación de la naturaleza, producto del lenguaje de la fiebre, donde la violencia sobre la naturaleza deja su impronta en los hombres, es la que le lleva a Cova/Silva a gritar en el mismo sentido: "¡Es el hombre civilizado el paladín de la

---

8. En este sentido, ver, entre otros, Viñas, "*La Vorágine*: crisis, populismo y mirada" (12), Molloy, "Contagio narrativo y gesticulación retórica en *La vorágine*" (493), y Morales, *La vorágine: un viaje al país de los muertos* (149).

destrucción!" (297). El lenguaje de la fiebre nos permite entender que el hombre se relaciona con otros hombres a través de su interacción con la naturaleza en el sentido de que el trabajo produce al mismo tiempo al hombre y al espacio en el que vivimos.

La estética de la descomposición

Doris Sommer encuentra que Cova en la selva tiene dos proyectos escriturarios. Uno es documentar los horrores de la selva estimulado por un celo patriótico. El otro "parece no tener propósito, un delirante síntoma progresivo de la enferma y enfermiza jungla, ante la cual este esteta de la decadencia se somete para producir algunas páginas impactantes[9]" (261). Este segundo proyecto, pienso, es inseparable del primero. Esta "estética de la descomposición" no es un producto de la imaginación de Rivera; en *La vorágine*, simplemente, su autor lo lleva a un punto de extenuación con el propósito de desmontar ese mismo lenguaje. Una cierta "estética de la descomposición" fue construida por la imaginación geográfica de las élites colombianas a partir de ingentes lecturas humboldtianas[10] y del naturalismo europeo del siglo XVIII (capítulo 1). Esta estética las alienó del trópico que habitaban, convirtiéndolo en un espacio despreciable, contribuyendo, en el mejor de los casos, pasivamente, a que ocurrieran esos horrores que Cova documenta.

El lenguaje de la fiebre quiere deslindar el lenguaje de la enfermedad de su referente —la selva— cargando la prosa de un exceso que combina higienismo y estética modernista haciéndonos extraña la correspondencia entre lenguaje y espacio. Después de caer en un nuevo rapto de fiebre y ser consolado por Clemente Silva con aquello de "[yo] también he sentido la mala influencia en distintos casos, especialmente en Yaguanarí", leemos este famoso discurso entre enfebrecido y convaleciente sobre esa selva construida desde los materiales de la medicina (pre y posmedicina tropical, indistintamente) y la estética modernista:

9. "seems purposeless, a progressively delirious symptom of the sick and sickening jungle to which this esthete of decay submits in order to produce a few striking pages"

10. En su clásico texto *Imperial Eyes*, Mary Louise Pratt ha mostrado cómo los textos de Humboldt fueron una herramienta fundamental a la hora de inventar, en los albores del siglo XIX, las nuevas repúblicas latinoamericanas por parte de las élites criollas, así como sus conexiones comerciales con la Europa no española.

Por primera vez, en todo su horror, se ensanchó ante mí la selva inhumana. Árboles deformes sufren el cautiverio de las enredaderas advenedizas, que a grandes trechos los ayuntan con las palmeras y se descuelgan en curva elástica [...]. Por doquiera el bejuco de matapalo —rastrero pulpo de las florestas— pega sus tentáculos a los troncos, acogotándolos y retorciéndolos, para injertárselos y trasfundírselos en metempsicosis dolorosas [...]. Entre tanto, la tierra cumple las sucesivas renovaciones: al piso del coloso que se derrumba, el germen que obra; en medio de las miasmas, el polen que vuela; y por todas partes el hálito del fermento, los vapores calientes de la penumbra, el sopor de la muerte, el marasmo de la procreación (295-296).

Esta "composición de la descomposición" como felizmente la llama Sommer (263) quiere afanosamente mostrarle a la imaginación geográfica nacional del siglo XIX y a la higiénica del XX que su lenguaje para referirse a la selva solo ha cambiado en tanto el lenguaje científico al uso lo ha hecho. Este lenguaje extenuante quiere (y sigue sin poder hacerlo) poner en evidencia la artificialidad de su factura, lo literario de su composición, para hacernos ver cómo el lenguaje de las élites sobre la selva, desde Caldas hasta llegar a Rivera, es un lenguaje de la enfermedad construido desde lo literario que, invisibilizándose, creó a la selva como un lugar ontológicamente enfermo e inhabitable. Esa invisibilización es la que exhibe Rivera en toda su artificialidad con su exceso escritural, con su composición de la descomposición.

Más de cien años antes que Rivera representara esta selva, el geógrafo Francisco José de Caldas, según vimos en el capítulo 1, escribió en un texto de pretensiones científicas su propia "composición de la descomposición" para hablar de la selva como un lugar de la enfermedad y la ruina. Los referentes científicos, evidentemente, son otros, pero el tono abigarrado para describir la selva es el mismo. La selva es: "[m]aromas, cables semejantes a los de un grueso navío, bajan y suben, unas veces perpendiculares, otras envolviéndose espiralmente alrededor de los troncos. Aquí forman bóvedas, allí techos que no pueden penetrar los rayos ardientes del sol [...] En su ruina envuelven a todos cuanto existe en su vecindad". Y más adelante reinscribe este caos en la enfermedad:

Estos vapores y exhalaciones [de la selva] producen el trueno, los huracanes y las lluvias abundantes. Ellas empapan, anegan la tierra la hacen excesivamente enferma. De aquí las fiebres intermitentes, las pútridas y las exaltaciones de las mas vergonzosas enfermedades. De aquí la prodigiosa propagación de los insectos y de tantos males que afligen a los desgraciados que habitan estos países ("Del influjo" 116).

La agencia política de Caldas con estas descripciones no es sutil ni quiere serlo, con ellas pone en marcha aquello de que "la violencia en la representación precede a la violencia en la acción" (Rojas 77) y pasa a recomendar "que se corten estos árboles [...] que se despejen estos lugares sombríos" (116). Más de cien años después, cuando esta desforestación ya se había llevado a cabo en buena parte, el lenguaje de *La vorágine* nos impele a tomar otra vía: desvertebrar este lenguaje desde su interior, exhibiendo esta gramática como el locus de la enfermedad, pues quien habla está enfebrecido y no es el espacio lo ontológicamente enfermo. Desde su "composición de la descomposición" Rivera patologiza el lenguaje de Caldas, cumpliendo con ello su agencia política, a través de sus herramientas poéticas, a saber, documentar la historia de los horrores de la civilización en la selva.

El final suspendido

El envío final del texto de Cova, vía Manaos a Bogotá, habría podido inocular el lenguaje de la fiebre en los discursos estatales que administraron y administran el territorio nacional. De acuerdo con Sylvia Molloy ("Contagio" 509) tal contagio sí se da en el famoso grito que da el cónsul colombiano en su telegrama: "¡los devoró la selva!". Pienso, por el contrario, que el texto es inmunizado por lo que he llamado en otra parte "el relato burocrático del Estado" (Felipe Ignacio Martínez) —una voz inane que repite, sorda, los tropos que exhibe Rivera pero sin desarticularlos como este sí lo hace— donde impera, en lugar de un dispositivo desalienante como el puesto en juego por el lenguaje de la fiebre, una mirada higienista que ve la selva, otra vez, como un enorme espacio pútrido, separado del hombre, donde cunden la enfermedad y la muerte como fisiologizaciones ahistóricas de la violencia y el crimen. Un espacio por donde hay que transitar o, mejor, del que hay que salir corriendo. Es como si al mecanografiar el texto, pasándolo en limpio, se hubiera higienizado su contenido.

La suspensión del final de la novela y su terminación desde afuera con en el grito "¡los devoró la selva!" del cónsul, hace que la novela parezca anticiparse al disciplinamiento de su lenguaje. Ese grito nos revela, nuevamente, la falla en comprender la agencia política del texto: el extravío de Cova, su familia y amigos en la selva, nos dice esa voz estatal, solamente puede ser fruto de la violencia, con lo cual toda interrupción al tránsito ciudad-selva-ciudad es decodificada como una falla del discurso: un grito que deja intuir una muerte violenta. En ese grito también podemos leer una nueva rendición de la "cultura del terror" que observara Michael Taussig en la actitud de los caucheros quienes, a pesar de disponer de poca fuerza de trabajo en la selva, la aniquilaban sin contemplación alguna, operando bajo el supuesto de que, para protegerse de los supuestos "caníbales", había que desplegar actos de crueldad para intimidarlos. En esa falla de la representación, los caucheros se hacen caníbales al proyectar sobre los otros sus propios miedos y terrores (Taussig, *Shamanism* 82). Con este grito que asume la última fuga de Cova como una muerte violenta se confirma aquello de que "[p]ara Occidente, la selva, la frontera, la isla, son teatros que son espejos" (Páramo Bonilla, *Lope de Aguirre* 60).

Las interpretaciones corrientes de ese grito hacen impensable la hipótesis de que, escapando al mismo tiempo de los caucheros y de los "apestados", Cova, Alicia, su hijo recién nacido y el grupo de amigos, esperanzados, hayan podido, en realidad, "guarecerse" en la selva (Rivera 382), haciendo del improvisado "refugio" (Rivera 383) selvático un lugar donde comenzar de nuevo y asentarse permanentemente: es decir, no querer volver nunca a la ciudad, sino, llanamente, vivir en la selva. Esa hipótesis, inconcebible tanto para toda la crítica riveriana como para el pensamiento civilizatorio en el trópico, está desterrada. Esas lecturas no se contagian de la fiebre, sino que se muestra como interpretaciones higiénicas, ya que le temen a la selva como metafísica y no al espacio-espejo producido por una relación de alienación frente a la historia de la civilización en la selva. Ellas perpetúan, de esta manera, el grito del cónsul negándose a ver que la geografía, antes que nada, es historia y esta, no en menor grado, es literatura (Hayden White). El grito "¡los devoró la selva!" reinscribe la narrativa de la civilización en el trópico: una interrupción al tránsito ciudad-selva-ciudad solamente puede decodificarse como un acto de violencia producto del espacio. Con ello se re-inscribe la selva, ahistóricamente, como un *locus horribilis* (Mejías-López 385).

Movilidad y violencia

El mapa que acompaña la cuarta y quinta ediciones de *La vorágine* (Editorial Andes, 1928 y 1929) (imagen 10), últimas al cuidado de Rivera, pone en funcionamiento una imaginación geográfica totalmente distinta de la del Ferrocarril Intercontinental del general Reyes (capítulo anterior). Su figura es un dibujo que deslee manifiestamente, por una parte, el alisamiento espacial producido por la fiebre ferrocarrilera del café en el noroccidente del país y también, por otra, las rutas que la quina (y luego el caucho) había abierto por el suroccidente andino (Palacio Castañeda *Civilizando* 62; Pineda Camacho *Holocausto* 42). En este mapa no existen los Andes, sino que proliferan los ríos del Llano y la selva, mezclándose, tal como se mezclan las fronteras entre Venezuela, Brasil, Perú, Ecuador y Colombia. Al lector no solo le cuesta trabajo seguir con la mirada en el mapa "La ruta de Arturo Cova y sus compañeros", sino que se pierde al perseguirla, en tanto los trayectos se mezclan con los ríos y los ríos con las fronteras opalescentes, en una continuidad que desactiva el mapa como dispositivo instrumental. En ese sentido, este mapa es un espacio más cercano al dibujo en tanto pretende inmovilizar la mirada en su circularidad, sin servir para nada más sino para la contemplación alelada. Los nombres de Colombia, Venezuela, Brasil, Perú y Ecuador cumplen un movimiento espiralado que replica la forma de la vorágine como espacio de absorción por el cual no se puede transitar. Quien desea pasar por este espacio, como el lector que quiere usar el mapa para otra cosa, se debe quedar fijado en él, entre hipnotizado y extrañado. Es un mapa del extravío y no del tránsito.

Este mapa explica por qué, una vez alisada la geografía andina de Colombia, el viaje de Cova y Alicia a los Llanos, paradójicamente, deba ser contado como un descenso. La geografía de los Llanos y las selvas orientales es el nuevo espacio vertical donde opera el mapa ideológico caldasiano donde se viaja en el tiempo a la barbarie de los climas calientes, pero a partir de una contradicción fundamental que lo historiza: "El viaje de Rivera a la naturaleza no es un retorno sino un viaje hacia el futuro de la modernidad[11]" (Marcone 11) que abre, se entiende, las caucherías como futuro del capitalismo en el trópico. Por

---

11. "Rivera's journey to the natural is not a return but a traveling towards the future of modernity".

eso David Viñas ha leído *La vorágine* como una caída (15), Seymour Menton como un calco de la geografía de la *Divina Comedia* (200) o Leónidas Morales como "un viaje al país de los muertos" (149).

El mapa que incluye Rivera en la última edición a su cuidado es un contramapa ferrocarrilero, un mapa sinuoso y traicionero, hecho para perderse. Ofrece otra relación de la tecnología con el espacio: la curiara y el río como métodos de transporte. Si el ferrocarril privilegia el tiempo deseando borrar el espacio, el viaje en río es puro espacio que le da espesura al tiempo. Por eso la sensación que nos da al mirar este mapa es una sensación de abismo. Este mapa está en la mente del cauchero que en *La vorágine* responde a la pregunta "¿Y para el río Vaupés no hay rumbo directo?" con un contundente: "¿A quién se le ocurre esa estupidez?" (Rivera 302).

El mapa del extravío (ver imagen 10) surge una vez se suspende el mapa dictado por las estaciones caucheras, precisamente cuando el cauchero se quiere fugar. El espacio dictado por el flujo de la mercancía cauchera (imagen 11) es esa "cárcel verde" donde el movimiento por el feudo cauchero está controlado por centinelas, donde los enganchados son traídos y llevados en contra de su voluntad, y donde el capital produce un espacio cuya líneas de conexión son, a un nivel macro, las barracas recolectoras y los puertos exportadores; a un nivel micro es el mapa de las *estradas*[12] que son caminos que el cauchero recorre para picar los árboles y poder recolectar el caucho más eficientemente. Las *estradas* espacializan la selva en ritmos que los dicta la extracción de caucho, delimitando inclusive los horarios del día del cauchero (Salamanca Torres 54). A un nivel histórico, delatado por los nombres inscritos en el mapa (África, Abisinia o Indostán), este mapa opera como un texto para leer la explotación neocolonial de las colonias tropicales del sur global por parte del norte temperado (French 116)[13].

---

12. Estos caminos son descritos por el cauchero y cónsul de Colombia en Manaos durante el comienzo del siglo xx, Demetrio Salamanca Torres, de la siguiente forma: "Hay estradas directas y las hay de vuelta: las primeras son las que van alejándose progresivamente del primero hasta el último de los árboles que las componen; y las segundas o devueltas, las que convergen a formar una curva reentrante, de modo que el punto de partida es el de llegada [...] la extensión de una estada es mas o menos de seis kilómetros según sea la abundancia de los arboles y la habilidad del que la abre [el que la hace]; en ocho días se abre una estada, dejando bien limpio [talado] el rededor de cada árbol de jeve" (52).

13. Jennifer French ha hecho una brillante lectura del mapa de las caucherías incluido en *El libro rojo del Putumayo* como un texto que cuenta la historia verbal y

Cuando Clemente Silva, Peggi, Venancio y los hermanos Souza Machado se pierden tratando de escapar del trabajo esclavo de las caucherías, Silva —"rumbero capaz de sacarnos de los infiernos" (Rivera 305)— trata de recordar el mapa que colgaba de uno de los corredores de la barraca de su "amo", el Turco Pezil (Rivera 301). En medio del extravío, Silva entiende que la posición del sol —"¡Ver el sol, ver el sol!"— le dará las claves para orientarse por la selva cauchera con ese mapa como guía de sus pasos. El mapa que logra recordar se parece al mapa del extravío que surge una vez se borra el mapa de las barracas como un dispositivo de legibilización del espacio:

> Concentrado en la memoria todo su ser, mirando hacia su cerebro, recordaba el mapa que tantas veces había estudiado en la casa de Naranjal, y veía las líneas sinuosas, que parecían una red de venas, sobre la mancha verde pálido en que resultaban nombre inolvidables: Teiya, Marié, Curícuriarí. ¡Cuánta diferencia entre una región y la carta que la reduce! ¡Quién le hubiera dicho que aquel papel, donde apenas cabían sus manos abiertas, encerraba espacios tan infinitos, selvas tan lóbregas, ciénagas tan letales! Y él, rumbero curtido, que tan fácilmente solía pasar la uña del índice de una línea a otra línea, abarcando ríos, paralelos y meridianos ¿cómo pudo creer que sus plantas eran capaces de moverse como su dedo? (Rivera 306).

El mapa de las caucherías (ver imagen 11) refleja una relación muy particular con el movimiento que habla elocuentemente de la forma en que el capital produce el espacio que captura: "el Capital viene a representarse a sí mismo bajo la forma de un paisaje físico creado bajo su propia imagen, inventado como un valor de uso para habilitar la acumulación progresiva de capital en una escala expansiva[14]" (Harvey, *Spaces of Capital* 227). Clemente Silva, por ejemplo, es llevado y

visual del neocolonialismo: "[los nombres en el mapa] crearon una apropiada topografía neocolonial, tomando prestado nombres de colonias oficiales. Estas 'colonias' en miniatura de la 'Peruvian-Amazon Company' que configuran el mapa de 1913 cínicamente repiten los nombres de los lugares y las gentes sometidos al yugo del capitalismo industrial" (114) ["they [the names on the map] created an appropriately neo-colonial toponomy by borrowing the names of official colonies. The miniature 'colonies' of the Peruvian —Amazon Company that dot the 1913 map cynically repeat the names of other places and peoples already subjugated to the demands of industrial capitalism"].

14. "Capital thus comes to represent itself in the form of a physical landscape created in its own image, created as use values to enhance the progressive accumulation of capital on an expanding scale".

traído por los enganchadores de trabajo esclavo por la Chorrera y el Encanto (Putumayo, Colombia), por Manaos (Brasil) e Iquitos (Perú), por el Barrancón de Manuel Cardoso (Vichada) y por las Barracas al Guaracú (Brasil), cubriendo una distancia enorme en un mapa de la Amazonía, seguramente siguiendo las rutas trazadas por la mercancía tal cual dibujadas en el mapa de las estaciones caucheras de *El libro rojo del Putumayo*. Sin embargo, una vez Silva sale del circuito de los barrancones, de ese mapa de las estaciones caucheras, se pierde a pesar de ser un rumbero renombrado. Esto muestra que el espacio de *La vorágine* está completamente intervenido por el capital, en tanto son las barracas las que trazan los recorridos de la mercancía y las estradas los recorridos del trabajo; de tal forma que una vez estos recorridos son borrados del mapa, el cauchero, aún un "brújulo" como Clemente Silva, no logra orientarse siguiendo otros recorridos. Ese negativo del mapa del capital es el mapa que recuerda haber visto Clemente Silva: un mapa poblado solamente por ríos, de "líneas sinuosas que parecían una red de venas". Muy parecido al que nos ofrece Rivera en la quinta edición de la novela, este mapa dibuja un espacio opresivo, cuyo envés despoja de otras espacialidades posibles a quienes quieran salir de él.

Las caucherías como espacio del capital despliegan todo su poder, precisamente, en su envés, en el mapa del extravío, porque implica que toda escapatoria de las barracas es imposible. Por eso, todos aquellos que no pueden ver otro mapa distinto al del extravío o al de las barracas tienen que soportar la enfermedad tropical como una calamidad que los inmoviliza, les quita agencia política y los atornilla a su trabajo. Los colonos andinos exhiben la enfermedad tropical como una inmovilidad surgida de no poder pensar un mapa distinto al del capital: al capataz huilense Balbino Jácome "se le secó la pierna por la mordedura de una tarántula" (Rivera 271), el exliterato y ahora cauchero bogotano Ramiro Estévanez está al borde la ceguera, "sus ojos debían tener alguna lesión, porque los velaba con dos trapillos amarrados sobre la frente" (Rivera 332) y a "los apestados", en una contradicción que refleja una continuidad, no se los deja permanecer en ninguna parte, condenados a un eterno tránsito, por miedo al contagio. Estos cuerpos no transitan por sí mismos porque se niegan o no pueden escapar. Solo se mueven si son impelidos al tránsito por otros, por los enganchadores o los capataces. Las caucherías como un espacio de movilidad forzada es el espacio del enclave agroexportador que pretende, él mismo, transitar desde que llega, moverse a otro lugar y dejar atrás los espacios que ya no rinden las ganancias esperadas. Así describe el antropólogo Roberto Pineda Camacho el paisaje de tránsito de las caucherías una vez el enclave cauchero se ha movilizado a otro lugar: "En 1930 la inmensa región comprendida entre el Caquetá y el Putumayo, al oriente del Caguán, estaba prácticamente deshabitada. La población había sido asesinada, deportada o se había visto precisada a huir hacia la parte norte del territorio. Como si fuera poco, los numerosos indígenas llevados al Perú se vieron además diezmados por el hambre y la fiebre" (*Holocausto* 193).

El jardín bárbaro

Carlos Guillermo Páramo Bonilla ha visto en Clemente Silva no solo al "brújulo" como rumbero sino como "brujo" en tanto sabe oír los murmullos de la selva y logra escapar de la vorágine: "Clemente Silva ('selva clemente') escucha las voces de los árboles —y es el único que sobrevive—, ve señales donde todos los demás únicamente distinguen verdura" (*Lope de Aguirre* 62). Clemente Silva sobrevive no solamente porque sabe escuchar la voz de los árboles, sino que, como el texto mismo, trata de inocular/inculcar el poder de la voz de los árboles en otros: "El [Clemente Silva] les aconsejó no mirar los árboles, porque hacen señas, ni escuchar los murmurios, porque dicen cosas, ni pronunciar palabra, porque los ramajes remedan la voz. Lejos de acatar esas instrucciones, entraron [Peggi, Venancio y los hermanos Souza] en chanzas con la floresta y les vino el embrujamiento, que se trasmite como por contagio" (Rivera 308-309). Montserrat Ordóñez sostiene que "no poder o no querer salir de esta selva significa, también, que dejarse embrujar puede ser la única forma de oír no a Cova sino a la selva, ese mundo de señas, murmullos y silencios que muchas lecturas ignoran" (57). Clemente Silva es el único que sobrevive a su extravío en la selva después de que Peggi, Venancio y los hermanos Souza mueren, y lo hace porque puede leer en el espacio algo diferente al tránsito del circuito del capital. Puede ver, así, otro mapa diferente en "la voz secreta de las cosas" y no en las cosas mismas, en los árboles de caucho convertidos en mercancía. Muertos sus compañeros de fuga y después de vagar por "dos meses entre los montes, hecho un idiota, ausente de sus sentidos, animalizado por la floresta", Silva vislumbra su propio mapa, un mapa distinto del mapa del extravío o del capital:

> Alguna mañana tuvo [Silva] repentina revelación. Paróse ante una palmera de cananguche, que, *según la leyenda*, describe la trayectoria del astro diurno, a la manera del girasol. Nunca había pensado en aquel misterio. Ansiosos minutos estuvo en éxtasis, constatándolo, y creyó observar que el alto follaje iba moviéndose pausadamente, con el ritmo de una cabeza que gasta doce horas justas en inclinarse desde el hombro derecho hasta el contrario. *La voz secreta de las cosas le llenó el alma.* ¿Sería cierto que esa palmera, encumbrada en aquel destierro como un índice hacia el azul, estaba indicándole la orientación? Verdad o mentira, él *lo* oyó decir. ¡Y creyó! Lo que necesitaba era una creencia definitiva. Y por el derrotero del vegetal comenzó a perseguir el propio (Rivera 314-315; cursivas mías).

Esta selva que habla con ese extraño y, al parecer, agramatical "verdad o mentira, él *lo* oyó decir", donde "lo" puede ser el mensaje de los árboles, canaliza una tradición popular, una "leyenda" donde se juntan cultura y naturaleza produciendo a la Amazonía cauchera, súbitamente, como un jardín. Clemente Silva es aquel que, como un brujo, al oír la selva, se convierte en su jardinero. La selva habla y al hacerlo abre un derrotero, convirtiéndose en un jardín, si entendemos por jardín con Stepan "una metáfora del nexo cultura-naturaleza[15]" (*Picturing* 243). Al hablar de los jardines tropicales del paisajista brasileño Roberto Burle Marx, Stepan escribe: "Burle Marx reconoció, más que muchos ecologistas, que no podemos escoger entre el arte y la naturaleza, que la propia naturaleza ni es estable ni es independiente de las percepciones y acciones humanas, y que la naturaleza y la cultura adquieren sentido históricamente la una de la otra[16]" (*Picturing* 238). Pensar, con Stepan, que el tipo de relación que establece el hombre históricamente con el espacio que lo rodea hace de este o bien una selva o un jardín, puede darnos las claves para leer un espacio muy diferente al que Clemente Silva, por la gracia de oír a la selva, convierte en un jardín.

---

15. "A metaphor of the culture-nature nexus".
16. "Burle Marx recognized, more than many other ecologists, that we cannot choose between art and nature, that nature itself is neither stable nor independent of human perception and actions, and that nature and culture acquire meaning historically in terms of one another".

Al final de la novela, cuando Arturo Cova yace en el piso tras la golpiza que le ha inflingido el Cayeno, aparece de pronto Pipa, un mestizo que, tras haber vivido varios años en la selva con los indios, ha sido enganchado como cauchero. Ahora convertido en mano de obra esclava, los capataces quieren que él identifique a Arturo Cova. De informante cuya delación supondrá la muerte de Cova, Pipa pasa a ser la víctima de otro de los caucheros que lo identifica como "!Y vos, animal (...), sos el Chispita de la Chorrera, el que, rasguñándolos, mataba los indios a su sabor, el que tantas veces me echaba rejo! ¡Préstame las uñas para examinártelas!" (377) tras lo cual, de manera horrorosa, le corta las manos de un solo tajo de machete. Pipa "atolondrado, levantóse del polvo como buscándolas, y agitaba a la altura de la cabeza los muñones, que llovían sangre sobre el rastrojo, *como surtidorcillos de algún jardín bárbaro*" (377; cursivas mías). Pasando de ser víctima a victimario y otra vez a víctima, de traidor a traicionado y de capataz a cauchero, en el cuerpo del Pipa se cierra el círculo de todas las violencias de la barraca. En él quedan marcadas las relaciones entre los caucheros y el espacio de las caucherías en un jardín bárbaro inscrito en un cuerpo como prueba de la línea de continuidad entre hombre y naturaleza.

La selva jardinizada como el espejo donde se mira el hombre es un espacio, tal como lo ve Glacken, que se despliega lleno de preguntas antes que de respuestas: "en los jardines es en donde uno casi puede ver las ideas tomar cuerpo en el paisaje. ¿Es acaso el arte imitando a la naturaleza, o es la naturaleza oponiéndose al arte? (...) ¿qué nos dice esto de las actitudes que los hombres debemos tener acerca de nosotros mismos y de aquello que nos rodea?[17]" (ix). El jardín bárbaro es una formulación paradójica para leer históricamente el espacio y los hombres que hicieron las caucherías porque le da la vuelta a las formulaciones de la "selva secular" como espacio de la violencia, para replantear a las caucherías en la selva como un espacio producido por el hombre y para el hombre, donde el capitalismo rige con toda su barbarie. Entre el jardín salvaje de Clemente Silva, al que hay que conocer para mapear, y el jardín bárbaro sobre la pura corporalidad del Pipa

---

17. "in gardens one can almost see the embodiment of ideas in landscapes. Is it art imitating nature, or is nature opposed to art? [...] What does it say about the attitude men should have not only to their surroundings but to themselves?".

donde se despliega la violencia de las caucherías, *La vorágine* brinda una lectura impar que, cambiando al igual que el espacio que refleja la historia, no se casa con relatos ni de armonía ni de antagonismo entre la naturaleza y el hombre. La novela, así, confronta la imaginación geográfica de las élites, tan cara al siglo XIX (Pineda Camacho, "Novelistas"), que consideraba como natural la violencia en espacios como la selva.

Una cultura de invernadero

En 1928 el líder conservador Laureano Gómez dio una serie de conferencias en el Teatro Municipal de Bogotá. Como corolario a los debates sobre la degeneración de la raza[1], estas conferencias, intituladas "Interrogantes sobre el progreso de Colombia", escandalizaron a gran parte de la prensa nacional que administraba la euforia capitalista de los años veinte (Henderson 151). Esa "histeria" (68) de sus contradictores, como la llamaría el propio Gómez, es explicable. Operando desde la imaginación espacial de las élites, Laureano Gómez ofrece el mapa caldasiano pero sin un elemento que ipso facto hace del espacio nacional un lugar inhabitable: no hay tales promesas de abundancia en el territorio, dice Gómez, Colombia no es una mina de riquezas donde, al existir todos los climas, se puedan producir (para su exportación) todos los productos del planeta. Por el contrario, el territorio nacional es la abundancia de la carencia, un país "abrumado por la selva" (31) en cuya misma latitud en el globo terráqueo —y Gómez lista para escándalo del público a Malaca, el Congo francés, Niam-Niam, Liberia...— "no existe ninguna comarca que a todo lo largo de la historia del género humano haya sido nunca asiento de una verdadera cultura" (26). Debido al clima y a la raza (a dos razas, particularmente,

1. En mayo de 1920, a instancias de los estudiantes de la Universidad Nacional, se realizaron en el Teatro Municipal de Bogotá una serie de conferencias brindadas por médicos higienistas, sociólogos, pedagogos y abogados sobre "El problema de la raza en Colombia". El intelectual liberal Luis López de Mesa, quien participó en esta serie de conferencia, las editaría ese año en un volumen del mismo nombre. Los debates continuarían durante toda la década, como se puede colegir de esta intervención de Laureano Gómez que ya frisa los años 30. Para una historia de estas conferencias y su posterior producción bibliográfica, véase Catalina Muñoz Rojas "Más allá del problema racial: el determininismo geográfico y las 'dolencias sociales'".

dice, la indígena y la africana), esta tierra no servirá "jamás de marco natural a una cultura verdadera" (27). Gómez parece decir que sin una riqueza derivada de la abundancia del suelo, es decir, sin una geografía destinada a transmutarse en capital, el país es inhabitable y será siempre presa de una "naturaleza invencible e incontrastable" (30).

Al sustraer del mapa caldasiano la variable de la abundancia como riqueza, Gómez replica una figura que parece copiada de los textos de 1808 de Caldas: la pesadilla de una pura y ahistórica selva que invade los Andes, destruyendo al país por obra y gracia de imaginarnos que las montañas no existen. La pesadilla de la invasión selvática es el espectro que se cierne sobre los Andes al concebir la civilización en el trópico como un mundo pos-selvático. Donde gana la selva pierde la civilización y viceversa. Este espectro de la invasión selvática surge siempre de momentos de crisis del proyecto civilizatorio o cuando el proyecto civilizatorio pretende crear fronteras interiores, representándolas negativamente, para luego irrumpir violentamente sobre ellas para expoliar sus recursos y explotar a sus gentes. En 1928 se avecinaba el crac financiero del 29 al tiempo que Gómez y sus copartidarios avizoraban el fin de la hegemonía conservadora (1886-1930) que daría paso a la llegada de los liberales al poder (1930-1946). De Caldas a Laureano Gómez y con ciento veinte años a sus espaldas, las pesadillas del proyecto civilizatorio en el trópico son las mismas; a pesar de que la selva, antes que crecer durante esos años, había sufrido los embates de la deforestación causada por la explotación tabacalera, luego quinera y cauchera y, por último, cafetera. Digno sucesor de Caldas, Laureano Gómez lo copia casi palabra por palabra, ominosamente:

Si con la imaginación suprimiéramos de nuestro territorio los levantamientos andinos, veríamos la manigua del Magdalena juntarse con la del Patía y el San Juan, el Putumayo y el Orinoco. La selva soberana y brutal, hueca e inútil, o las vastas praderas herbáceas y anegadizas se extenderían de un mar a otro mar apenas pobladas por tribus vagabundas. El pavoroso fenómeno vital de la selva amazónica se generalizaría sobre nuestro territorio. La naturaleza impondría su representación trágica en el alma de los salvajes, pobres seres errantes, atormentados por el terror. Dondequiera que la naturaleza tropical obtiene pleno dominio por las condiciones de humedad y de temperatura, impone su grandeza con tales caracteres de fuerza descomunal y arrebatadora que el espíritu humano se desconcierta y se deprime (28).

La invasión de la selva, así representada, es una pesadilla espacial que se despliega desde un relato temporal: el regreso de un pasado atávico tal cual imaginado por las élites andinas convierte al país en un desierto verde escasamente habitado por "pobres seres errantes atormentados por el terror". En ninguna parte como en esta rendición narrativa, la selva es representada como un Absorbente Monstruo de Proliferantes Carencias que lo engulle todo: la selva es hueca e inútil y, sin embargo, de su interior, dadas "las condiciones de humedad y temperatura" adecuadas, cabe esperar su propia reproducción incesante. "La selva impone su representación trágica", dice Gómez, cuando es él quien escoge imponernos tal representación, naturalizando los Andes como la antiselva. De forma muy caldasiana, esto posibilita que, una vez sustraídos los Andes del espacio nacional, todo el resto sea tomado por "la fuerza descomunal y arrebatadora" de una selva que se le opone al "espíritu humano". Es decir, sin los Andes no hay nación, con lo cual la selva es también lo antinacional, el enemigo que se interpone entre el proyecto civilizatorio y la nación. Para Gómez, Colombia deber erigirse sobre lo antitropical (como si los Andes colombianos no quedaran en el trópico) y a cubierto del influjo de la selva, en lucha constante por impedir que la naturaleza tropical obtenga "pleno dominio" e imponga "su grandeza" sobre los hombres. La nuez de su discurso, entonces, se basa sobre una perturbadora premisa que va contra la ontología del país: una Colombia tropical no es concebible como nación. Fuera de toda cultura, expulsada de toda producción e influjo humanos, la selva de Gómez es al mismo tiempo la enemiga del hombre, de la civilización y de la nación.

Los avances tecnológicos de los años veinte le permiten a Laureano Gómez visualizar lo que Caldas no pudo sino fantasear atormentadamente: la panorámica aérea de la selva que se despliega monstruosa y amenazante frente a quien se asoma por la ventana de la cabina presurizada de un avión. La mirada desde el avión escenifica la pesadilla caldasiana como realidad: verse totalmente abrumado por una invasión selvática. Es como si desde la altura del avión la (mala) conciencia de vivir en un país tropical se desplegara, agresiva, frente a la mirada que no puede más que reaccionar representando el espacio violentamente. Tomando la mirada del pasajero de avión, Laureano Gómez dice en su conferencia:

Visto desde la altura, el terciopelo verde oscuro [de la selva] se decora con tonos admirables de rojos y amarillos: son árboles completamente cubiertos de flores. Las ciénagas copian el azul de los cielos y las caprichosas figuras de las nubes. ¡Maravilloso panorama para el aeronauta! Pero no para quien sabe que bajo aquel suntuosos y aterciopelado manto no hay nada útil para la vida humana, sino bejucos y maleza; y que aquellos húmedos espejos son el imperio de la muerte y el reino indiscutido de la fiebre maligna! (31)

Esta mirada es contradictoria. Por una parte, dice, para el "aeronauta" todo parece idílico, pero, por otra, para quien "sabe que bajo aquel suntuoso manto no hay nada útil para la vida humana", la selva es el "el imperio de la muerte". ¿Es distinta la mirada de Gómez como aeronauta a la de Gómez como presunto sabedor de la utilidad de la selva? Son dos lados de la misma moneda. En definitiva, Gómez es preso de la escogencia o bien de placer estético o de utilidad económica de la selva, más allá del cual, dice claramente, está la muerte y la enfermedad. Es un falso dilema tras el cual Gómez nos quiere hacer creer que no hay otra posibilidad para el hombre que vive en lo que él llama —carente de toda imaginación— la selva. La cotidianidad como tercera opción, por ejemplo, con toda su carga de incomodidades y satisfacciones, nimiedades y grandezas —la vida al fin y al cabo— nunca es contemplada como alternativa frente a la selva como espectáculo estético o como promesa económica.

Las tesis de Gómez en su controversial texto están íntimamente relacionadas con el carácter inhabitable de este país que él imagina asediado por una selva al mismo tiempo hermosa, pero enfermiza y, sobre todo, engañosamente fértil en tanto es vista como "un desierto vestido de verdor". Esto lo lleva a concluir, apurándose el cáliz del caldasianismo hasta la hez, que "esta tierra [Colombia] no es el marco natural espontáneo para una cultura humana" (75). Del millón doscientos mil kilómetros del país solamente son habitables, según Gómez, "cien mil kilómetros cuadrados de tierras frías, cultivables, densamente habitadas" (36). Siguiendo la máxima samperiana según la cual "en aquel mundo [tropical] no era posible crear la civilización sino a condición de concentrarla" (Samper, *Ensayo* 25), Gómez, con una descarnada sinceridad que sus antecesores habían maquillado con un candoroso liberalismo, exhibe lo que siempre había estado en la nuez del pensamiento caldasiano: la cultura nacional debe ser una cultura de invernadero, aislada de ese millón de kilómetros cuadrados de tierras inhabitables y cálidas, algo así como la Naturaleza, que amenazan siempre con invadir el centro civilizado. Sin ningún pudor, Laureano Gómez adelanta la posibilidad de vivir una cultura fuera de la naturaleza. Adoptando la mirada invernacular, Gómez separa el ojo que ve por la ventana de la cabina presurizada de su cuerpo que "sabe que bajo ese aterciopelado y suntuoso manto [está] la fiebre maligna". Olvidar esta conexión biológica y orgánica ojo-cuerpo es la desarticulación, a nivel micro, de otra relación de complementariedad que operará a nivel macro: la inextricable unión entre naturaleza y cultura. El deseo por la descorporización que habilita esta mirada invernacular le permite crear a quien la ostenta, a Gómez por ejemplo, fantasías agroexportadores o visiones pesadillezcas (el haz y el envés) donde se representa a la naturaleza tropical como un espacio inhabitable frente al que hay que resguardarse o huir. La mirada que separa el ojo del cuerpo es pura visión inmunizada y, por ello, puede opinar sin descanso. De esta manera habla la mirada invernacular a través de Gómez:

> La cultura colombiana es y será siempre un producto artificial, *una frágil planta de invernadero*, que requiere cuidado y atención inteligente, minuto tras minuto, para que no sucumba a las condiciones adversas. Sobre las *porciones del territorio favorables a la vida humana* se agrupará la población, haciendo pie en ellas para intentar la conquista de los recursos naturales que existen, pero que no pueden ser alcanzados ni disfrutados por un pueblo inculto e inferior (48; cursivas mías).

Esta visión parte de que existe algo así como un "marco natural espontáneo" para una "cultura humana". Un "marco natural" que, para él, se encuentra solamente en las zonas de clima de estaciones del globo, en Argentina (38), pero sobre todo en Estado Unidos, "tierra de humanidad como ninguna" (39). Debido al clima y a la raza que, para Gómez, han engendrado "un pueblo inculto e inferior" en Colombia "nuestra cultura no puede ser espontánea y tiene que ser hija de la inteligencia y del capital" (63). Ahí está su contradicción máxima: al mismo tiempo que Gómez critica "la prosperidad al debe" de la euforia capitalista de los años veinte, catapultada por el café y la deuda, representa a Colombia como a una tierra de engañosa fertilidad cuya futuro, depende, no obstante, del capital, de esa "conquista de los recursos naturales". Inextricablemente atado a sus contradicciones, Gómez concluye: "somos una especie de inmenso invernadero, un depósito de incalculables riquezas naturales, que no hemos podido disfrutar, porque la raza no está acondicionada para hacerlo". La circularidad de su pensamiento climista es abismante. El clima arruina la raza al punto de inhabilitarla para explotar la naturaleza, al mismo tiempo que es la abundancia infértil del trópico la que sabotea "el marco natural" para el surgimiento de una cultura nacional. La única salida es crear una raza de invernadero, parece decir sin decirlo, no sujeta a la potencia del clima. Esta raza —de la que él sería un exponente, una flor de invernadero como lo llama L. E. Nieto Caballero (en Henderson 152)— es la única que podría enfrentar lo que él mismo llama "el conflicto biológico" (53) por los recursos naturales que otras razas no arruinadas por el clima (se refiere a Estados Unidos) desean, según Gómez, arrebatarle a Colombia[2]. Solamente esas razas que habitan y son producto de la "cultura de invernadero" pueden enfrentar en igualdad de condiciones la amenaza imperialista y podrán explotar las riquezas naturales del país. De más está decir que esa raza de invernadero la constituirá un selecto grupo de blancos sometidos al mismo tiempo a la influencia de un clima frío y de la cultura letrada europea, cuyas referencias abundan en la conferencia de Gómez. Por ello, no nos debe impresionar que Laureano Gómez, al convertirse en jefe absoluto del Partido Conservador colombiano durante los años treinta y cuarenta (luego presidente de Colombia en los cincuenta) se afiliara ideológicamente con las potencias del eje nazi-fascista y con la hispanofilia franquista. De su energía e influjo esperaba, seguramente, encontrar abono para su cultura de invernadero.

---

2. La conferencia de Laureano Gómez es también la vuelta rediviva del debate sobre "las razas incompetentes", un debate que, instigado por el intelectual liberal Rafael Uribe Uribe a comienzos del siglo xx, trataba de encontrar las razones de acuerdo con las cuáles los estadounidenses se sentían propietarios del Canal de Panamá y, por tanto, podían legitimar su invasión del istmo como expropiación. De acuerdo con Uribe Uribe el almirante norteamericano Alfred Mahan defendía, como parte del destino manifiesto de Estados Unidos, que razas arruinadas por el clima y el mestizaje no podían interponerse en el camino del progreso mundial liderado por las potencias temperadas, en particular, por Estados Unidos. Cfr. Rafael Uribe Uribe, "Derecho de expropiación sobre las razas incompetentes" (1903).

La mirada invernacular surge de un proyecto elitista: concebir la posibilidad de una cultura aislada, circunscrita "a los cien mil kilómetros de tierra fría, cultivable, densamente habitada", sedentaria, de la que se puede salir solamente para volver, preferiblemente en avión. El mapa ideológico de las élites, en Gómez, vuelve a copiar el viaje circular que ya tiene inscrito su final: de la tierra fría a la tierra caliente y de vuelta a la tierra fría (esta vez en avión). Un viaje cuya interrupción desata ipso facto, hasta hoy, la pesadilla: ningún viaje en el trópico colombiano debe terminar en la selva de acuerdo con este guion. Solamente la violencia puede explicar esta pérdida de curso. En el viaje circular abajo-arriba de los Andes lo que se debe dejar atrás es lo que se representa como un espacio de la violencia. Así, la politización del clima por parte del proyecto civilizatorio estimula siempre la creación de espacios absolutos —límites infranqueables tanto para la civilización como para el salvajismo escenificados en lugares artificiales como el invernáculo, el vapor, el avión...— que, no obstante, llevan consigo el miedo a la invasión: ese espacio de la cultura de invernadero de Gómez frente a una posible (in)cultura de la intemperie materializada en el atavismo de la selva que regresa para romper el cerco de la civilización y engullírsela.

La mirada que ve el paisaje a través de la ventana de un avión prolifera en los textos colombianos de los años veinte[3] y treinta[4], por la novedad del transporte, claro, pero también porque cumple la fantasía caldasiana de las élites: moverse por la tierra caliente sin sentirla, transitar por ella para verla expandirse como un todo a la vez homogéneo y caótico. Por ello, me parece que es de una ironía elocuente que el primer avión colombiano se llamara "Caldas" (Castro-Gómez, *Tejidos* 11). Al mismo tiempo que transita, esa mirada, como la de Gómez, registra para opinar sobre lo que ve. Coinciden en ella ver y hablar,

---

3. Colombia fue el primer país del hemisferio, aun antes que Estados Unidos, en tener una programación de vuelos nacionales a través de una aerolínea comercial, Scadta. Esta aparente anomalía habla elocuentemente, primero, sobre los inveterados problemas de movilidad dentro del territorio nacional y, por otra, del cumplimiento de la fantasía elitista —porque el avión era, más que hoy, un lujo de pocos— de moverse sin sufrir las penalidades del viaje.

4. Por ejemplo, ver mi texto de próxima aparición sobre las memorias de soldados y aviadores en la Guerra con el Perú (1932-1934) por el trapecio amazónico. "La potencia bélica del clima: representaciones de la Amazonía en la Guerra con el Perú". Cf. "Entre el humo y la niebla: Guerra y cultura en América Latina" (en Martínez Pinzón y Uriarte).

mirar y escribir, sin diálogo y sin interrupción, monológicamente. Esa mirada invernacular desplegada tras el grueso cristal de la ventana, habitando el espacio presurizado del avión que produce un clima frío, puede trazar nuevamente las antinaturales oposiciones entre naturaleza y cultura por una simple razón: desde la altura del avión no se ve la gente abajo, una engañosa relación de cuerpos confirmada, artificialmente, por los diferentes climas que habitan el que ve y el que es visto.

En la línea de pensamiento Caldas-Samper-Núñez-Reyes-Gómez, una línea que traza el arco del discurso civilizatorio de las élites sobre el trópico durante el siglo xix y comienzos del xx, el clima es la razón-cero de la inhabitabilidad del país porque es una potencia que arruina al mismo tiempo la "raza" y el "suelo", haciendo que la primera sea "inferior e inculta" y el segundo infértil, con lo cual ambos devienen en sinécdoques del no-progreso como inmovilidad y dilapidación. Resguardada de la potencia del clima tórrido, esta mirada se libera del cuerpo y, al hacerlo, puede fetichizar el trópico, contemplarlo como un lugar sin historia, paso previo para realizar sobre él fantasía mercantiles o pesadillas bélicas, según desde donde se le mire (desde el cielo o desde el suelo).

Identificar esa mirada, comprender de dónde viene, cómo ha evolucionado y qué espacios de violencia abre es fundamental para desactivarla. Entender cómo se ha construido la experiencia de la civilización en el trópico y sus nefastas consecuencias, es un paso previo para rescatar otras formas de vivir el espacio, tropicalizando el trópico, para no ver al territorio como enemigo de la nación sino como una parte constitutiva de ella. En el epígrafe que abre estas páginas —"nosotros hacemos la casa y la casa nos hace a nosotros"— está cifrada esa relación de complementariedad que se ha ignorado en la construcción antitropical de Colombia. Este libro ha querido visibilizar precisamente esas líneas de continuidad, mostrar cómo al modificar el ambiente nosotros también cambiamos. Las naciones se hacen de símbolos, más que de sitios, y los símbolos son los reflejos de las maneras en que nos hemos representado como comunidad. Es hora de volver los ojos sobre nosotros mismos para ver cómo hemos construido el espacio nacional y al hacerlo imaginar, y rescatar del pasado, otras formas de relacionarnos con él para aprender a producir un territorio para la paz.

Bibliografía

ABRAMS, Philip. "Notes on the Difficulty of Studying the State". En: *The Anthropology of the State: A Reader.* Oxford: Blackwell Publishing, 2006: 112-129.

ACHING, Gerard. *The Politics of Spanish American Modernismo: By Exquisite Design.* Cambridge: Cambridge University Press, 1997.

Actas y documentos de la Segunda Conferencia Pan-Americana. México: Tipografía de la Impresora Nacional de Estampillas, 1902.

ALONSO, Carlos. *The Spanish American Regional Novel.* Cambridge: Cambridge University Press, 1990.

ADORNO, Theodor y Max HORKHEIMER. *Dialectics of Enlightment.* New York: Continuum, 2007.

ALZATE, Carolina. "Modos de la metáfora orientalista en la Hispanoamérica del siglo XIX. Soledad Acosta, Jorge Isaacs, Domingo F. Sarmiento y José María Samper". *Taller de Letras*, núm. 45, 2009: 131-143.

— "¿Comunidad de fieles o comunidad de ciudadanos?: dos relatos de viajes del siglo XIX colombiano". *Revista Chilena de Literatura*, núm. 77, noviembre de 2010: 5-27.

APPEL, John Wilton. *Francisco José de Caldas: A Scientist at Work in Nueva Granada.* Philadelphia: American Philosophical Society, 1994.

ARIAS VANEGAS, Julio. *Nación y diferencia en el siglo XIX colombiano. Orden nacional, racialismo y taxonomías poblacionales.* Bogotá: Uniandes, 2005.

— "Seres, cuerpos y espíritus del clima, ¿pensamiento racial en la obra de Francisco José de Caldas?". *Revista de Estudios Sociales*, núm. 27, agosto de 2009 (Bogotá: Universidad de los Andes): 16-30.

ARNOLD, David. *The Problem of Nature: Environment, Culture and European Expansion.* Cambridge: Blackwell Publishers, 1996.

— "Tropical Medicine Before Manson". En: *Warm Climates and Western Medicine: the Emergence of Tropical Medicine 1500-1900.* David Arnold (ed.). Amsterdam: Rodopi, 1996: 1-20.

BATEMAN, Alfredo J. "Francisco José de Caldas (síntesis biográfica)". En: *Obras completas de Francisco José de Caldas.* Bogotá: Universidad Nacional de Colombia, 1966: 5-9.

BECKMAN, Ericka. "Sujetos insolventes: José Asunción Silva y la economía transatlántica de lujo". *Revista Iberoamericana*, vol. LXXXV, núm. 228, julio-septiembre de 2009: 757-772.

— *Capital Fictions: Writing Latin America's Export Age (1870-1930)*. Minneapolis: University of Minnesota Press, 2013.

BENJAMIN, Walter. *The Arcades Project*. Cambridge: Harvard University Press, 1999.

— "Experience and Poverty". En: *Walter Benjamin: Selected Writings*. Vols. 3 y 4. Cambridge: Belknap Press/Harvard University Press, 2006.

— "The Storyteller: Observations on the Works of Nickolai Leskov". En: *Walter Benjamin: Selecte Writings*. Vol. 3. Cambridge: Belknap Press, 2006: 143-166.

— "On the Concept of History". En: *Walter Benjamin: Selected Writings*. Vols. 3 y 4. Cambridge: Belknap Press/Harvard University Press, 2006: 389-400.

BERGQUIST, Charles W. *Coffee and Conflict in Colombia, 1886-1910*. Durham: Duke University Press, 1978.

BOURDIEU, Pierre. *The Field of Cultural Production*. New York: Columbia University Press, 1993.

BORDA, José Joaquín (comp.). *Cuadros de costumbres y descripciones locales de Colombia*. Bogotá: Librería y Papelería de Francisco García Rico, 1878.

BRAUN, Bruce. "Towards a New Earth and a New Humanity: Nature, Ontology, Politics". En: *David Harvey Reader*. London: Blackwell, 2006: 191.

CALDAS, Francisco José de. *Semanario del Nuevo Reino de Granada. Tomo I, II, III*. Bogotá: Biblioteca Popular de Cultura colombiana, 1942.

— *Obras completas de Francisco José de Caldas*. Edición a cargo de Alfredo J. Bateman. Bogotá: Universidad Nacional de Colombia, 1966.

— *Cartas de Caldas*. Bogotá: Academia Colombiana de Ciencias Exactas, Físicas y Naturales, 1978.

— "Del influjo del clima sobre los seres organizados". En: *Obras completas de Francisco José de Caldas*. Bogotá: Universidad Nacional de Colombia, 1966: 79-121.

CANÉ, Miguel. "Notas de viaje sobre Venezuela y Colombia, 1882". En: *Bogotá en los viajeros extranjeros del siglo XIX*. Miguel Romero, ed. Bogotá: Villegas Editores, 1990: 177-198.

CAÑIZARES ESGUERRA, Jorge. "Nation and Nature: Natural History and the Fashioning of Creole National Identity in Late Colonial Spanish America". Memorias LASA 1997. Disponible en <http://bibliotecavirtual.clacso.org.ar/ar/libros/lasa97/canizares.pdf>, (última consulta: 15-06-2010).

CAMACHO ROLDÁN, Salvador. *Notas de viaje*. Paris: Garnier, 1890.

CAPONI, Sandra. "Sobre la aclimatación: Boudin y la geografía médica". *História, Ciências, Saúde*, vol. XIV, núm. 1, enero-marzo de 2007: 13-38.

CARUSO, John Anthony. "The Pan American Railway". *The Hispanic American Historical Review*, vol. XXXI, núm. 4, 1951: 608-639.

CASTRILLÓN, Alberto. *Alejandro de Humboldt: del catálogo al paisaje: expedición naturalista e invención de paisajes*. Medellín: Universidad de Antioquia, 2000.

CASTRO-GÓMEZ, Santiago. *La hybris del punto cero: ciencia, raza e ilustración en la Nueva Granada, 1750-1816*. Bogotá: Instituto de Estudios Sociales y Culturales Pensar/Universidad Javeriana, 2005.

— *Tejidos oníricos: movilidad, capitalismo y biopolítica en Bogotá (1910-1930)*. Bogotá: Pontificia Universidad Javeriana, 2009.

CETTOU, Maryline. *Jardins d'Hiver et de Papier: Regards croisés sur le jardin d'hiver dans le Paris et la littérature fin-de-siecle: un espace entre science et imaginaire*. Laussane: Archipel, 2005.

CLIFFORD, James. *Routes: Travel and Translation in the Late Twentieth Century*. London/Cambridge: Harvard University Press, 1997.

COBO BORDA, Juan Gustavo. *José Asunción Silva, bogotano universal*. Bogotá: Villegas Editores, 1988.

COLMENARES, Germán. *Partidos políticos y clases sociales*. Bogotá: Uniandes, 1967.

CODAZZI, Agustín. "Bajo una cabaña de piel de buey". En: *Crónica Grande del Río de la Magdalena*. Tomo 1. Aníbal Noguera (ed.). Bogotá: Sol y Luna, 1976: 221-229.

COETZEE, J. M. *White Writing: On the Culture of Letters in South Africa*. New Haven/London: Yale University Press, 1988.

CÓRDOBA OCHOA, Luis Miguel. "La elusiva privacidad del siglo XVI". En: *Historia de la vida privada en Colombia. Tomo I. Las fronteras difusas: del siglo XVI a 1880*. Bogotá: Taurus, 2011: 47-81.

CROSBY, Alfred W. *Ecological Imperialism: The Biological Expansion of Europe (900-1900)*. Cambridge: Cambridge University Press, 1986.

CUERVO MÁRQUEZ, Emilio. "José Asunción Silva". *Revista Moderna*, vol. II, núm. 7, julio de 1915: 421-422.

CUERVO MÁRQUEZ, Luis. *Contribución a la patología de los países cálidos: la fiebre amarilla en el interior del país: epidemias de Cúcuta y fiebres del Magdalena*. Curazao: Imprenta de la librería de Bethancourt & hijos, 1891.

CURTIN, Philip D. "Disease and Imperialism". En: *Warm Climates and Western Medicine: the Emergence of Tropical Medicine 1500-1900*. David Arnold (ed.). Amsterdan: Rodolpi, 1996: 99-108.

D'ALLEMAND, Patricia. "Quimeras, contradicciones y ambigüedades en la ideología criolla del mestizaje: el caso de José María Samper". *Historia y Sociedad*, núm. 13, 2007: 1-21.

— *José María Samper: nación y cultura en el siglo XIX colombiano*. Bern: Peter Lang, 2012.

Darío, Rubén. *Poesía*. Caracas: Ayacucho, 1985.

Davis, Wade. *El río: exploraciones y descubrimientos en la selva amazónica*. Bogotá: Fondo de Cultura Económica/El Áncora Editores, 2006.

Deas, Malcolm. "Miguel Antonio Caro y amigos: gramática y poder en Colombia". En: *Del poder y la gramática y otros ensayos sobre historia, política y literatura colombianas*. Bogotá: Taurus, 2006: 27-63.

— "Aventuras de un cazador de orquídeas". En: *Del poder y la gramática y otros ensayos sobre historia, política y literatura colombianas*. Bogotá: Taurus, 2006: 64-92.

— "Una hacienda cafetera de Cundinamarca: Santa Bárba (1870-1912)". En: *Del poder y la gramática y otros ensayos sobre historia, política y literatura colombianas*. Bogotá: Taurus, 2006: 235-265.

Del Castillo, Nicolás. "Rafael Núñez a través de sus cartas desde Nueva York y Europa". *Revista Thesaurus*, vol. XLII, núm. 3, 1987: 674-736.

De Certeau, Michel. *The Practice of Everyday Life*. Berkeley: The University of California Press, 1984.

Delpar, Helen. *The Liberal Party in Colombian Politics 1863-1899*. Tuscaloosa: The University of Alabama Press, 1981.

Deleuze, Gilles y Félix Guattari. *A Thousand Plateus: Capitalism and Schizophrenia*. Minneapolis: Minnesota University Press, 1987.

Díaz, Daniel. "Raza, pueblo y pobres: las estrategias biopolíticas del siglo xx en Colombia". En: *Genealogías de la Colombianidad. Formaciones discursivas y tecnologías de gobierno en los siglos XIX y XX*. Santiago Castro-Gómez y Eduardo Restrepo (eds.). Bogotá: Editorial Pontificia Universidad Javeriana/Instituto de Estudios Sociales y Culturales Pensar, 2008: 42-70.

Díaz Castro, Eugenio. *Nueva aproximación a Francisco José de Caldas: episodios de su vida y de su actividad científica*. Bogotá: Academia Colombiana de Historia, 1997.

— *Manuela*. Bogotá: Panamericana, 2005.

— "La Historia Natural y la nivelación de las planta en la obra cartográfica de Caldas". En: *La obra cartográfica de Francisco José de Caldas*. Mauricio Nieto Olarte (ed.). Bogotá: Universidad de los Andes, 2006: 53-75.

Domínguez Ossa, Camilo. *Amazonía colombiana: economía y poblamiento*. Bogotá: Universidad Externado de Colombia, 2005.

Engels, Frederick. *Dialectics of Nature*. New York: Internationl Publishers, 1940.

Escobar, Arturo. "10 ideas para reconstruir a Colombia", *El Espectador*, 19 de julio de 2011. Disponible en: <http://www.elespectador.com/noticias/nacional/articulo-285708-10-ideas-reconstruir-colombia> (última consulta: 01-10-2014).

Esposito, Roberto. "The Inmunization Paradigm". *Diacritics*, vol. XXXVI, núm. 2, verano de 2006: 23-48.

FALS BORDA, Orlando. *Historia doble de la Costa*. Vol. 2. Bogotá: Carlos Valencia Editores, 1979.

FERNÁNDEZ-MEDINA, Nicolás. "The Structure of Crisis in José Asunción Silva's *De sobremesa*". *Latin American Literary Review,* vol. XXXIV, núm. 68, julio-diciembre de 2006: 59-82.

FOUCAULT, Michel. "Of Other Spaces". *Diacritics,* vol. XVI, núm. 1, primavera de 1986: 22-27.

— *The Order of Things: An Archeology of the Human Sciences.* New York: Vintage, 1994.

— *Discipline and Punish: the Birth of the Prison.* New York: Vintage, 1995.

— *Society Must Be Defended: Lectures at the College de France (1975-1976).* New York: Picador, 1997.

FORTÚN, Clara F. *La prosa artística de José Asunción Silva.* En: José Olivio Jiménez. *Estudios críticos sobre la prosa modernista hispanoamericana.* New York: Eliseo Torres, 1975: 457-470.

FRANCO, Jean. "'Si me permiten hablar': La lucha por el poder interpretativo". *Revista de Crítica Literaria Latinoamericana,* año XVIII, núm. 36, 1999: 111-118.

FRENCH, Jennifer L. *Nature, Neo-Colonialism and the Spanish American Regional Writers.* Hanover, New Hampshire: Darmoth College Press, 2005.

GARRIDO, Margarita. "Libres de todos los colores en la Nueva Granada: identidad y obediencia antes de la Independencia". En: *Cultura política en los Andes (1750-1850).* Cristóbal Aljovín de Losada y Nils Jacobsen (eds.). Lima: Fondo Editorial FNMSN, 2007: 245-266.

GILMORE, Robert y John HARRISON. "Juan Bernardo Elbers and the Introduction of Steam Navigation on the Magdalena River". *Hispanic American Historical Review,* vol. XXVIII, núm. 3, agosto de 1948: 335-349.

GIORGI, Gabriel. "Nombrar la enfermedad. Médicos y artistas alrededor del cuerpo masculino en *De sobremesa,* de José Asunción Silva". *Ciberletras: Revista de crítica literaria y cultura* , n°1, 1999. Disponible en: <http://www.lehman.cuny.edu/ciberletras/v1n1/ens_04.htm> (última consulta 11/11/2014).

GLACKEN, Clarence J. *Traces on the Rhodian Shore: Nature and Culture in Western Thought from Ancient Times to the End of the Eighteenth Century.* Berkeley: University of California Press, 1967.

GÓMEZ, Augusto, Ana Cristina LESMES y Claudia ROCHA. *Caucherías y conflicto colombo-peruano: testimonios 1904-1934.* Bogotá: Disloque Editores, 1995.

GÓMEZ, Laureano. *Interrogantes sobre el progreso en Colombia: conferencias dictadas en el Teatro Municipal de Bogotá.* Bogotá: Editorial Revista Colombiana, 1970 [1928].

GÓMEZ MULLER, Andrés. "Imaginarios de la 'raza' y la 'nación' en Rafael Núñez". En: *La Regeneración revisitada. Pluriverso y hegemonía en la construcción del Estado-nación en Colombia.* Bogotá: La Carreta Editores, 2011: 125-154.

GONZÁLEZ, Aníbal. *La novela modernista hispanoamericana.* Madrid: Gredos, 1987.

GONZÁLEZ, Beatriz. *Caricatura y costumbrismo: José María Espinosa y Ramón Torres Méndez: dos colombianos del siglo XIX.* Bogotá: Ministerio de Relaciones Exteriores de Colombia, 1999.

GONZÁLEZ STEPHAN, Beatriz. *La historiografía del liberalismo en el siglo XIX.* La Habana: Casa de las Américas, 1987.

— "Modernización y disciplinamiento. La formación del ciudadano: del espacio público y privado". En: *Esplendores y miserias del siglo XIX.* Caracas: Monte Ávila, 1993: 431-455.

— "Las Disciplinas escriturarias de la patria: Constituciones, gramaticas y manuales". *Estudios. Revista de Investigaciones Literarias*, año III, núm. 5, enero-junio de 1995: 19-46.

GORDILLO RESTREPO, Andrés. *El Mosaico (1858-1872). Nacionalismo, elites y cultura en la segunda mitad del siglo XIX.* En: *Pensar el siglo XIX. Cultura, biopolítica y modernidad en Colombia.* Santiago Castro-Gómez, ed. Pittsburgh: Instituto Internacional de Literatura Iberoamericana, 2004: 226-242.

GERBI, Antonello. *The Dispute of the New World: The History of a Polemic 1750-1900.* Pittsburgh: Universtiy of Pittsburgh Press, 1973 [1955].

GUILLÉN MARTÍNEZ, Fernando. *El poder político en Colombia.* Bogotá: Planeta, 2008.

GREENSDALE, Willliam P. *Degeneration, Culture and the Novel: 1880-1940.* Cambridge: Cambridge University Press, 1994.

GROSZ, Elizabeth. *The Nick of Time: Politics, Evolution, and the Untimely.* Durham/London: Duke University Press, 2004.

GUTIÉRREZ GIRARDOT, Rafael. "José Fernández Andrade: un artista colombiano finisecular frente a la sociedad burguesa". En: *José Asunción Silva. Obra completa.* Héctor H. Orjuela (ed.). Edición del Centenario. Paris: ALLCA XX/Unesco, 1996.

— *Modernismo: supuestos históricos y culturales.* Bogotá: Fondo de Cultura Económica, 2002.

— "Una visión nada provinciana de León de Greiff". En: *Tradición y ruptura.* Bogotá: Debate, 2006: 223-235.

HANNAFORD, Ivan. *Race: the History of an Idea in the West.* Baltimore: Johns Hopkins University Press, 1996.

HARRISON, Robert Pogue. *Forests: Shadows of Civilization.* Chicago: University of Chicago Press, 1992.

Harvey, David. *Justice, Nature and the Geography of Difference*. Oxford: Blackwell, 1996.

— *Spaces of Hope*. Los Angeles: University of California Press, 2000.

— *Spaces of Capital: Towards a Critical Geography*. New York: Routledge, 2001.

— *The New Imperialism*. Oxford: Oxford University Press, 2003.

— "The Sociological and Geographical Imaginations". *International Journal of Politics, Culture, and Society*, vol. XVIII, núm. 3/4, primavera 2005: 211-255.

— *Cosmopolitanism and the Geographies of Freedom*. New York: Columbia University Press, 2009.

— *A Companion to Marx's Capital*. London/New York: Verso, 2010.

Helg, Aline. "Los intelectuales frente a la cuestión racial en el decenio de 1920: Colombia entre México y Argentina". *Estudios Sociales*, núm. 4, marzo de 1989: 39-52.

— *Liberty and Equality in Caribbean Colombia, 1770-1835*. Chapell Hill/London: The Unviersity of North Carolina Press, 2004.

Henderson, James D. *Modernization in Colombia: The Laureano Gómez Years, 1889-1965*. Gainesville: University Press of Florida, 2001.

Hetherington, Kevin. *The Badlands of Modernity: Heterotopia and Social Ordering*. New York: Routledge, 1997.

Hinds, Harold Earl J. *José María Samper the Thought of a Nineteenth-century New Granadan during his Radical-Liberal Years (1845-1865)*. Phd Dissertation. Vanderbilt University, 1975. Inédita.

Hix, John. *The Glasshouse*. Hong Kong: Phaidon Press, 1996.

Humboldt, Alexander von. *Breviario del Nuevo Mundo*. Caracas: Biblioteca Ayacucho, 1992.

— *Personal Narrative of a Journey to the Equinoctial Regions of the New Continent*. Jason Wilson (trad.). New York: Penguin Books, 1995.

Humboldt, Alexander von y Bonpland, Aimé. *Essay on the Geography of Plants*. Stephen T. Jackson (ed. e introd.). Chicago/London: The University of Chicago Press, 2009.

Hustvedt, Asti. "*The Art of Death: French Fiction at the Fin de Siecle*". *The Decadent Reader: Fiction, Fantasy and Perversion from Fin-de-Siecle France*. New York: Zone Readers, 1998.

Huysmans, Joris-Karl. *Au Rebours*. New York: Penguin Books, 2003.

Ibáñez, Pedro M. "Reminiscencias de Rafael Reyes". *Boletín de Historia y Antigüedades*, vol. IV, 1907: 449-509.

Jaramillo Uribe, Jaime. *El pensamiento colombiano en el siglo XIX*. Bogotá: Planeta, 1996 [1963].

Jáuregui, Carlos A. "Candelario Obeso, la literatura 'afronacional' y los límites del espacio literario decimonónico". En: *Chambacú, la historia la escribes tú. Ensayos sobre la cultura afrocolombiana*. Alba Lucía Ortiz (ed.). Madrid/Frankfurt: Iberoamericana/Vervuert, 2007: 42-67.

Jiménez, David. "Romanticismo y radicalismo". En: *El radicalismo colombiano del siglo XIX.* Rubén Sierra (ed.). Bogotá: Universidad Nacional de Colombia, 2006: 289-309.

Jitrik, Noé. *Las contradicciones del modernismo: productividad poética y situación sociológica.* México: El Colegio de México, 1978.

Junguito, Roberto. "Las finanzas públicas en el siglo XIX". En: *Economía colombiana del siglo XIX.* Adolfo Meisel Roca y María Teresa Ramírez (eds.). Bogotá: Banco de la República/Fondo de Cultura Económica, 2010.

Kant, Immanuel. *Observaciones acerca de lo bello y de lo sublime.* Madrid: Alianza Editorial, 2008.

Kolhmaier, George y Barna von Sartory. *Houses of Glass: A Nineteenth Century Building Type.* Cambridge: MIT Press, 1986.

Konig, Hans-Joachim. *En el camino de la nación: nacionalismo en el proceso de formación del Estado y de la nación de la Nueva Granada, 1760-1856.* Bogotá: Banco de la República, 1994.

Langebaek Rueda, Carl. "Pasado indígena en la Costa caribe: Interpretación en cinco actos". En: *El caribe en la nación colombiana: Memorias X Cátedra Anual de Historia Ernesto Restrepo Tirado.* A. Abello (ed.). Bogotá: Museo Nacional/Observatorio del Caribe/Ministerio de Cultura, 2006: 346-378.

— "La obra de José María Samper vista por Élisée Reclus". *Revista de Estudios Sociales,* núm. 27 (Bogotá: Universidad de los Andes), 2007: 196-205.

— *Los herederos del pasado. Indígenas y pensamiento criollo en Colombia y Venezuela.* Bogotá: Uniandes, 2009.

Lemaitre, Eduardo. *Rafael Reyes: biografía de un grancolombiano.* Bogotá: Iqueima, 1981.

Livingstone, David N. "Tropical Climate and Moral Higiene: the Anatomy of a Victorian Debate". *The British Journal for the History of Science,* vol. XXXII, núm. 1, 1999: 93-110.

Llera, Federico. *Tratado completo de geografía universal.* Bogotá: Imprenta Rivas, 1881 [1874].

Londoño, Juan Bautista. "Los colonos antioqueños". *Anales de la Academia de Medicina de Medellín,* año XV, núm. 3 (Medellín), 1910: 66-71.

López de Mesa, Luis (ed.). *Los problemas de la raza en Colombia.* Catalina Muñoz Rojas (reed. y pról.). Bogotá: Universidad del Rosario, 2011.

Madiedo, Manuel María. "El boga del Magdalena". En: *Museo de cuadros de costumbres: variedades y viajes.* Tomo I. Bogotá: Banco Popular, 1973: 13-21.

Maglia, Graciela (ed.). *Si yo fuera tambó: poesía selecta de Candelario Obeso y Jorge Artel. Edición Crítica.* Bogotá: Pontificia Universidad Javeriana/Universidad del Rosario, 2010.

MALAGÓN PINZÓN, Miguel Alejandro. *Vivir en Policía: una contralectura de los orígenes del Derecho Administrativo en Colombia*. Bogotá: Editorial Universidad Externado de Colombia, 2007.

MARCONE, Jorge. "Jungle Fever: The Ecology of Disillusion in Spanish American Literature". *Lectures a the IDB Culture Center Lectures Program*, 1-33, 2007. Disponible en: <www.iadb.org/document.cfm?id=1774474>, (última consulta: 10-10-2011).

MÁRQUEZ, Germán. *Mapas de un fracaso: naturaleza y conflicto en Colombia*. Bogotá: Instituto de Estudios Ambientales/Universidad Nacional, 2004.

MARTÍNEZ, Felipe Ignacio. "Letrados bandidos: Relato burocrático y agencia intelectual en Alfredo Molano y José Eustasio Rivera". *Dissidences. Hispanic Journal of Theory and Criticism*, vol. III, n° 6, 2012. Disponible en: <http://digitalcommons.bowdoin.edu/cgi/viewcontent.cgi?article=1091&context=dissidences>, (última consula: 15/10/2014).

MARTÍNEZ, Frédéric. *El nacionalismo cosmopolita: la referencia europea en la construcción nacional en Colombia (1847-1900)*. Bogotá: Centro de Estudios Andinos/Banco de la República, 2002.

MARTÍNEZ PINZÓN, Felipe y Javier URIARTE (eds.). *Entre el humo y la niebla: guerra y cultura en América Latina*. Pittsburgh: Instituto Internacional de Literatura Iberoamericana-Pittsburgh University, 2016.

MARX, Karl. *Capital*. Vol. 1. New York: Penguin Books, 1975.

MAUPASSANT, Guy. "Un Cas de Divorce". En: *The Decadent Reader: Fiction, Fantasy and Perversion from Fin-de-Siecle France*. Asti Hustvedt (ed.). New York: Zone Readers, 1998: 777-783.

McCULLOUGH, David. *The Path Between the Seas: The Creation of the Panamá Canal 1870-1914*. New York: Simon and Schuster, 1977.

McFARLANE, Anthony. *Colombia Before Independence: Economy, Society and Politics under Bourbon Rule*. Cambridge: Cambridge University Press, 1993.

McGRADY, Donald. "Cuatro prosas olvidadas de José Eustasio Rivera". *Thesaurus*, vol. XXX, núm. 3, 1975: 291-317.

MENTON, Seymour. *La vorágine: El triángulo y el círculo*. En: *La vorágine: textos críticos*. Montserrat Ordóñez (comp.). Bogotá: Alianza Editorial Colombiana, 1987: 199-229.

MEJÍAS-LÓPEZ, Alejandro. "Textualidad y sexualidad en la construcción de la selva: genealogías discursivas en *La vorágine* de José Eustasio Rivera". *Modern Language Notes*, núm. 121 (Baltimore: Johns Hopkins University Press), 2006: 367-390.

MELGAREJO ACOSTA, María del Pilar. "Trazando las huellas del lenguaje político de La Regeneración: la nación colombiana y el problema de su heterogeneidad excepcional". En: *Genealogías de la colombianidad. Formaciones discursivas y tecnologías de gobierno en los siglos XIX y XX*. Santiago

Castro-Gómez y Eduardo Restrepo (eds.). Bogotá: Pontificia Universidad Javeriana/Instituto de Estudios Sociales y Culturales Pensar, 2008: 278-307.

— *El lenguaje político de la Regeneración en Colombia y México*. Bogotá: Instituto de Estudios Sociales y Culturales Pensar/Universidad Javeriana, 2010.

MELO, Jorge Orlando. "La República Conservadora (1886-1930)". En: *Colombia Hoy*. Bogotá: Siglo XXI, 1973: 52-101.

MORALES, Leónidas. *La vorágine: un viaje al país de los muertos*. En: *La vorágine: textos críticos*. Montserrat Ordóñez (comp.). Bogotá: Alianza Editorial colombiana, 1987: 149-169.

MOLLOY, Sylvia. "Contagio narrativo y gesticulación retórica en *La vorágine*". En: *La vorágine: textos críticos*. Montserrat Ordóñez (comp.). Bogotá: Alianza Editorial Colombiana, 1987: 489-517.

— "Voice Snatching: *De sobremesa*, Hysteria, and the Impersonation of Marie Bashkirtseff". *Latin American Literary Review,* vol. XXV, núm. 50 (Special Issue: Nineteenth-Century Latin American Literature), julio-diciembre de 1997: 11-29.

— "Too Wilde for Comfort: Desire and Ideology in Fin-de-Siecle Spanish America". *Social Text*, núm. 31/32 (Third World and Post-Colonial Issues), 1992: 187-201.

MONTALDO, Graciela. *Ficciones culturales y fábulas de identidad en América Latina*. Buenos Aires: Beatriz Viterbo, 1999.

MONTESQUIEU. *Del espíritu de las leyes*. Madrid: Alianza, 2013.

MÚNERA, Alfonso. *Fronteras imaginadas. La construcción de las razas y de la geografía en el siglo XIX*. Bogotá: Planeta, 2005.

MÚNERA RUIZ, Leopoldo. "El Estado en la Regeneración (¿La modernidad política paradójica o las paradojas de la modernidad política?)". En: *La Regeneración revisitada. Pluriverso y hegemonía en la construcción del Estado-nación en Colombia*. Leopoldo Múnera Ruiz y Edwin Cruz Rodríguez (eds.). Bogotá: La Carreta Editores, 2011: 13-76.

MUÑOZ ROJAS, Catalina. "Más allá del problema racial: el determinismo geográfico y las 'dolencias sociales'". En: Luis López de Mesa (ed.). *Los problemas de la raza en Colombia*. Catalina Muñoz Rojas (reed. y pról.). Bogotá: Universidad del Rosario, 2011: 11-60.

NANCY, Jean-Luc. *The Sense of the World*. Minneapolis: University of Minessota Press, 2008.

NEALE-SILVA, Eduardo. "The Factual Bases of *La vorágine*". *PMLA*, vol. LIV, núm. 1, marzo de 1939: 316-331.

— *Horizonte humano: Vida de José Eustasio Rivera*. México: Fondo de Cultura Económica, 1960.

NIETO, María Camila y María RIAÑO. *Esclavos, negros libres y bogas en la literatura del siglo XIX*. Bogotá: Universidad de los Andes, 2011.

NIETO ARTETA, Luis Eduardo. *Economía y cultura en la historia de Colombia*. Medellín: La Oveja Negra, 1973.

NIETO OLARTE, Mauricio. "Políticas imperiales en la Ilustración española: Historia Natural y la apropiación del Nuevo Mundo". *Historia Crítica*, núm. 11 (Bogotá: Universidad de los Andes) 1995: 39-52.

— *Remedios para el imperio*. Bogotá: CESO/Universidad de los Andes, 2002.

— "Caldas, la geografía y la política". En: *La obra cartográfica de Francisco José de Caldas*. Mauricio Nieto Olarte (ed.). Bogotá: Universidad de los Andes, 2006: 23-52.

— *Orden natural y Orden social: Ciencia y política en el Semanario del Nuevo Reyno de Granada*. 1.ª ed. Bogotá: CESO/Universidad de los Andes, 2008.

— *Americanismo y Eurocentrismo: Alexander Von Humboldt y su paso por el Nuevo Reino de Granada*. Bogotá: Universidad de los Andes, 2010.

NOGUERA, Aníbal. *Crónica grande del río de la Magdalena*. 2 vols. Bogotá: Sol y Luz, 1980.

NÚÑEZ, Rafael. "Sociología". En: *La Reforma Política en Colombia*. Bogotá: Imprenta La Luz, 1885: 25-30.

— "La sociología: los elementos de este estudio". En: *La Reforma Política en Colombia*. Bogotá: Imprenta La Luz, 1885: 390-416.

— "El Nuevo Mundo 1". En: *La Reforma Política en Colombia*. Vol. II. Bogotá: Biblioteca Popular de Cultura Colombiana, 1944: 563-575.

— "Laboremus". En: *La Reforma Política en Colombia (Colección de artículos publicados en La Luz de Bogotá y el El Porvenir de Cartagena, de 1881 a 1884)*. Ensayos, vol. II. Bogotá: Biblioteca Popular de Cultura Colombiana, 1944: 355-361. [Cartagena 1 de abril de 1883].

— "Necesidad de concierto". En: *La Reforma Política en Colombia (Colección de artículos publicados en La Luz de Bogotá y el El Porvenir de Cartagena, de 1881 a 1884)*. Ensayos, vol. II. Bogotá: Biblioteca Popular de Cultura Colombiana, 1944: 9-12.

— "Política independiente". En: *Los mejores artículos políticos*. Bogotá: Universidad Sergio Arboleda, 1998: 53-63 [31 de enero de 1882].

— "El pueblo colombiano". En: *Los mejores artículos políticos*. Bogotá: Universidad Sergio Arboleda, 1998: 106-110.

OCHOA, Ana María. "El mundo sonoro de los bogas del Magdalena". *Revista Número* 21, junio-julio de 2008. Disponible en: <http://revistanumero.com/index.php?option=com_content&view=article&id=397>

OCAMPO, José Fernando. *Historia de las ideas políticas en Colombia*. Bogotá: Instituto de Estudios Sociales y Culturales Pensar/Pontificia Universidad Javeriana/Taurus. 2008.

OFFER, John. *Herbert Spencer and Social Theory*. Basingstoke: Palgrave Mac-Millan, 2010.

ORDÓÑEZ, Montserrat. "Introducción". En: *La vorágine*. Madrid: Cátedra, 2006: 11-59.

PACHÓN FARIAS, Hilda. *José Eustasio Rivera Intelectual (textos y documentos)*. Bogotá: Universidad Surcolombiana, 1991.

PALACIOS, Marco. *El café en Colombia: 1850-1970: una historia económica, social y política*. México: El Colegio de México, 2009.

PALACIO CASTAÑEDA, Germán. *Fiebre de tierra caliente. Un historia ambiental de Colombia 1850-1930*. Bogotá: ILSA, 2006.

— *Civilizando la tierra caliente. La supervivencia de los bosquesinos amazónicos, 1850-1930*. Bogotá: El Espectador, 2004.

PÁRAMO BONILLA, Carlos Guillermo. "El camino hacia *La vorágine*: dos antropólogos tempranos y su incidencia en la obra de José Eustasio Rivera". En: *Cuadernos de los seminarios: ensayos de la Maestría de Antropología*. Bogotá: Universidad Nacional de Colombia-Facultad de Ciencias Humanas, 2006: 35-57.

— *Lope de Aguirre, o la vorágine de Occidente: selva, mito y racionalidad*. Bogotá: Universidad Externado de Colombia, 2009.

PARSONS, James J. "Investigación geográfica sobre América Latina". En: *Las regiones tropicales americanas: Visión geográfica de James J. Parsons*. Bogotá: Fondo FEN Colombia, 1992: 51-81.

PATIÑO FOMEQUE, Víctor. "Plantas cultivadas y animales domésticos en la América equinoccial IV: plantas introducidas". Disponible en <http://www.banrepcultural.org/blaavirtual/historia/puti/puti13.htm>, (última consulta 7 de febrero de 2011).

PAZ, Octavio. *Los hijos del limo: Del romanticismo a la vanguardia*. Barcelona: Seix-Barral, 1987.

PEARD, Julyan G. *Race, Place and Medicine : the Idea of the Tropics in Nineteenth- Century Brazilian Medicine*. Durham: Duke UP, 1999.

PEDRAZA, Pedro. *Excursiones presidenciales: apuntes de un diario de viaje*. Norwood: The Plimpton Press, 1909.

PEÑA, Isaías. *Breve historia de José Eustasio Rivera*. Bogotá: Cooperativa Editorial Magisterio, 1988.

PEÑAS, David. *Bogas: historia del zambaje*. Bogotá: Tercer Mundo, 1984.

PERUS, Françoise. *Literatura y sociedad en América Latina: El modernismo*. La Habana: Casa de las Américas, 1976.

PINEDA CAMACHO, Roberto. *Holocausto en el Amazonas: Una historia social de la Casa Arana*. Bogotá: Planeta, 2000.

— "Novelistas y etnógrafos en el infierno de la Casa Arana". *Boletín de Historia y Antigüedades*, vol. XCI, núm. 826, septiembre de 2004: 485-522.

POSADA CARBÓ, Eduardo. *El desafío de las ideas: ensayos de historia intelectual y política de Colombia*. Medellín: Fondo Editorial EAFIT, 2003.

PRATT, Mary Louise. *Imperial Eyes: Travel Writing and Trasnculturation*. New York: Routledge, 1992.

RAMA, Ángel. "Prólogo". En: Ruben Darío. *Poesía*. Caracas: Ayacucho, 1978: ix-lii.

— *La ciudad letrada*. Hugo Achugar (introd.). Hanover: Ediciones del Norte, 1984.

— *Las máscaras democrática del modernismo*. Montevideo: Fundación Ángel Rama, 1984.

— *Ruben Darío y el modernismo*. Caracas/Barcelona: Alfadil Ediciones, C.A., 1985.

RAMÍREZ, María Clemencia. "Colonización de la Amazonía Occidental". En: *Atlas cultural de la Amazonia colombiana: la construcción del territorio en el siglo XX*. María Clemencia Ramírez, Eduardo Ariza y Leonardo Vega (eds.). Bogotá: ICANH, 1998: 21-85.

RAMOS, Julio. *Desencuentros de la modernidad en América Latina: Literatura y política en el siglo XIX*. México: Fondo de Cultura Económica, 1989.

— "El don de la lengua". En: *Paradojas de la letra*. Caracas: Instituto de Investigaciones Literarias Gonzalo Picón Febres, 2006: 3-22.

RECLUS, Élisée. *Colombia*. Bogotá: Editorial Incunables, 1983.

Recopilación de leyes de los reynos de las indias, mandadas a imprimir y publicar por su magestad católica del rey Don Carlos II. Tomo segundo. Madrid: Impresora de dicho real y supremo consejo, 1791.

REYES, Rafael. *A través de la América del Sur: exploraciones de los Hermanos Reyes*. México/Barcelona: Ramón de S.N Araluce Editor, 1902.

— *Las dos Américas: excusión por varios países de las dos Americas: su estado actual, su futuro*. New York: Frederick A. Stokes Company 1914.

— *Memorias (1850-1885)*. Bogotá: Fondo de cultura cafetero, 1986.

RIBEIRO, Darcy. *Las Américas y la civilización: Proceso de formación y causas del desarrollo desigual de los pueblos americanos*. Caracas: Ayacucho, 1992.

RIVERA, José Eustasio. *La vorágine*. Montserrat Ordóñez (ed.). Madrid: Cátedra, 2006.

ROGERS, Charlotte. *Jungle Fever. Exploring Madness in Twentieth-Century Tropical Narratives*. Nashville: Vanderbilt University Press, 2012.

RODRÍGUEZ, Ileana. *Transatlantic Topographies*. Minneapolis: University of Minnesota Press, 2004.

ROJAS, Cristina. *Civilización y violencia: la búsqueda de la identidad en la Colombia del siglo XIX*. Bogotá: Norma, 2001.

ROTKER, Susana. "Juramento del Monte Sacro: la identidad como negación de la historia". En: *Bravo Pueblo: Poder, utopia y violencia*. Caracas: Fondo Editorial La Nave Va, 2006: 87-97.

— "Pensamiento innovador: del Iluminismo a la Independencia". En: *Bravo Pueblo: Poder, utopia y violencia*. Caracas: Fondo Editorial La Nave Va, 2006: 65-86.

SAFFORD, Frank. *El ideal de lo práctico: El desafío de formar una élite técnica y empresarial en Colombia*. Bogotá: Universidad Nacional de Colombia/ El Áncora Editores, 1989.

— "El problema de los transportes en Colombia en el siglo XIX". En: *Economía colombiana del siglo XIX*. Adolfo Meisel Roca y María Teresa Ramírez (eds.). Bogotá: Banco de la República/Fondo de Cultura Económica, 2010.

SAFFORD, Frank y Marco PALACIOS. *Colombia: País fragmentado, sociedad dividida*. Bogotá: Norma, 2002.

SALAMANCA TORRES, Demetrio. *La Amazonía colombiana: estudio geográfico, histórico y jurídico en defensa del territorio de Colombia*. Tomo I. Tunja: Academia Boyacense de Historia, 1994 [1916].

SALINAS, Pedro. *La poesía de Rubén Darío: ensayo sobre el tema y los temas del poeta*. Buenos Aires: Losada, 1948.

SALZANI, Carlo. "The City as Crime Scene: Walter Benjamin and the Traces of the Detective". *New German Critique*, núm. 34, 2007: 165-187.

SANTOS MOLANO, Enrique. *El corazón del poeta: Los sucesos reveladores de la vida y la verdad inesperada de la muerte de José Asunción Silva*. Bogotá: Planeta, 1996.

SAMPER, Bernardo. *Apuntes sobre higiene de las tierras calientes en Colombia*. Bogotá: Arboleda & Valencia, 1914.

SAMPER, José María. *Apuntamientos para la historia política i social de la Nueva Granada desde 1810 y especialmente de la Administración del 7 de marzo*. Bogotá: Imprenta del Neogranadino, 1853.

— *El programa de un liberal. Dedicado a la convención Constituyente de los Estados Unidos de Nueva Granada*. Paris: Imprenta de E. Thunot y Co. 1861.

— *Viajes de un colombiano en Europa*. Tomos 1 y 2. Paris: Thounot, 1862.

— *Lucas Vargas: Escenas de la vida colombiana*. Bogotá: Imprenta de Luis M. Holguín, 1899.

— "Dr. Manuel Ancízar". *El Liberal Ilustrado*, tomo II, núm. 957-18, 25 de abril de 1914: 275-278.

— "El bambuco". *América Literaria: Publicaciones selectas en verso y en prosa*. Tomo 2. Ed. Francisco Lagomaggiore. Buenos Aires: La Nación. 111-114.

— *Ensayo sobre las revoluciones políticas*. Bogotá: Universidad Nacional de Colombia, 1969.

— "La Confederación granadina y su población". En: *Ensayo sobre las revoluciones políticas*. Bogotá: Universidad Nacional de Colombia, 1969 [1862]: 281-320.

— *Historia de un alma*. Bogotá: Bedout, 1971.

— "De Honda a Cartagena". En: *Museo de Viajes y Cuadros de Costumbres: Biblioteca El Mosaico*. Tomo III. Bogotá: Banco Popular, 1973: 381-424.

SAMPER, Miguel. "Retrospecto". En: *Escritos político-económicos*. Tomo II. Bogotá: Editorial de Cromos, 1925: 135-193.

— "La miseria en Bogotá". En: *Selección de escritos*. Bogotá: Instituto Colombiano de Cultura, 1977: 29-77

SÁNCHEZ, Efraín. *Gobierno y geografía: Agustín Codazzi y la Comisión Corográfica de la Nueva Granada*. Bogotá: Banco de la República/El Áncora Editores, 1999.

SÁNCHEZ, Gonzalo y Donny MEERTENS. *Bandoleros, gamonales y campesinos: El caso de la Violencia en Colombia*. Bogotá: El Áncora Editores, 1983.

SCHWARZ, Roberto. *Misplaced Ideas: Essays on Brazilian Culture*. New York/London: Verso, 1992.

SERJE, Margarita. *El revés de la nación: territorios salvajes, fronteras y tierras de nadie*. Bogotá: CESO/Universidad de los Andes, 2005.

— "El cuerpo torturado de una nación". En: *Contra la tortura: cinco ensayos y un manifiesto*. Eduardo Subirats y Pila Cavaleiro (comps.). México: Editorial Fineo, 2006: 129-178.

SIERRA, Rubén. *El radicalismo colombiano del siglo XIX*. Bogotá: Universidad Nacional de Colombia, 2007.

SILVA, José Asunción. *Poesía completa y De sobremesa: Edición del centenario*. Santafé de Bogotá: Casa de Poesía Silva/Editorial Norma, 1996.

— *Cartas (1881-1896)*. Fernando Vallejo (recop. y notas). Bogotá: Casa de Poesía Silva, 1996.

— "Dr. Rafael Núñez". En: *Obra completa*. Héctor H. Orjuela (ed.). Edición del Centenario. Paris: ALLCA XX/Unesco, 1996: 381-390.

— "El paraguas del padre León". En: *Obra completa*. Héctor H. Orjuela (ed.). Edición del Centenario. Paris: ALLCA XX/Unesco, 1996: 362-368.

SILVA, Renán. *Los ilustrados de Nueva Granada, 1760-1808. Genealogía de una comunidad de interpretación*. Medellín: EAFIT, 2002.

SLATER, Candance. *Entangled Edens: Visions of the Amazon*. Berkeley: University of California Press, 2002.

SLOTERDIJK, Peter. *En el mundo interior del capital: Para una teoría filosófica de la globalización*. Madrid: Siruela, 2007.

SKLODOWSKA, Elzbieta. "Rivera: entre la estética modernista y el discurso autóctono". En: *Literatura y cultura: narrativa colombiana del siglo XX*. Betty Osorio y Maria Mercedes Jaramillo (eds.). Santa Fé de Bogotá: Ministerio de Cultura, 1998: 209-243.

SMITH, Neil. *Uneven Development: Nature, Capital and the Production of Space*. New York: Basil Blackwell, 1984.

SMITH-SOTO, Mark I. "Temática y contexto literario". En: *Leyendo a Silva*. Tomo II. Juan Gustavo Cobo Borda (comp.). Bogotá: Caro y Cuervo, 1996: 576-595.

SOMMER, Doris. "Love of Country: Populism's Revised Romance in *La vorágine* and *Doña Bárbara*". En: *Foundational Fictions: The National Romances of Latin America*. Berkeley: University of California Press, 1991: 257-290.

STEPAN, Nancy Leys. *"The Hour of Eugenics": Race, Gender, and Nation in Latin America*. Ithaca/London: Cornell University Press, 1991.

— *Picturing Tropical Nature*. Ithaca/London: Cornell University Press, 2001.

— *Eradication: Ridding the World of Disease Forevere?* Ithaca/London: Cornell University Press, 2011.

TANCO, Diego Martín. "Señor D. Francisco José de Caldas". En *Semanario del Nuevo Reino de Granada*. Tomo I. Bogotá: Biblioteca Popular de Cultura Colombiana, 1942: 61-68.

TAUSSIG, Michael. *Shamanism, Colonialism and the Wild Man: A Study in terror and Healing*. Chicago: University of Chicago Press, 1987.

— *My Cocaine Museum*. Chicago: University of Chicago Press, 2004.

TAYLOR, William S. *The Vital Landscape: Nature and The Built Environment in Nineteenth-Century Britain*. Aldershot: Ashgate Publishing Limited, 2004.

THOMSON, Noman. *El libro rojo del Putumayo*. Bogotá: Arboleda y Valencia, 1913.

TORRES, Camilo. *Memorial de agravios*. Bogotá: Fundación Cultural Epígrafe, 2003.

URIBE CELIS, Carlos. *Los años veinte en Colombia: ideología y cultura*. Bogotá: Editorial Colombia Nueva, 1984.

URIBE PIEDRAHITA, César. *Toá: narraciones de caucherías*. Bogotá: Imprenta de Arturo Zapata, 1933.

URIBE URIBE, Rafael. "Sobre la fiebre amarilla". En: *Por la América del Sur*. Tomo II. Bogotá: Editorial Kelly, 1955 (1908): 352-355.

— "Derecho de expropiación sobre las razas incompetentes". En: *Por la América del Sur*. Tomo II. Bogotá: Editorial Kelly, 1955 (1910): 139-191.

URUEÑA, Jaime. "La idea de la heterogeneidad racial en el pensamiento político colombiano: una mirada histórica". *Análisis Político*, núm. 11, mayo-agosto de 1994: 5-25.

VALLEJO, Fernando. *Almas en pena, chapolas negra: una biografía de José Asunción Silva*. Bogotá: Suma de Letras, 2002.

VÁSQUEZ VALENCIA, María Fernanda. "Aclimatación y enfermedad en la medicina colombiana a finales del siglo XIX y comienzos del XX". En: *Historia social y cultura de la salud y la medicina en Colombia (siglo XVI-XX)*. Bogotá: La Carreta Editores, 2010: 115-135.

VIÑAS, David. *Literatura argentina y realidad política*. Buenos Aires: Jorge Álvarez Editor, 1970.

— "*La Vorágine*: crisis, populismo y mirada". *Hispamérica: revista de literatura*, año III, núm. 8, octubre de 1974: 5-21

VIRILIO, Paul. *Speed and Politics*. New York: Semiotext(e), 1986.

VON DER WALDE URIBE, Erna. "Limpia, fija y da esplendor: el letrado y la letra en Colombia a fines del siglo XIX". *Revista Iberoamericana*, vol. LXIII, núms. 178-179, 1997: 71-83.

WHITE, Hayden. *Tropics of Discourse: Essays on Cultural Criticism*. Baltimore: Johns Hopkins University Press, 1985.

WILLIAMS, Raymond. *Keywords: A Vocabulary of Culture and Society*. London: Fontana Books, 1983.

WADE, Peter. *Blackness and Race Mixture: the Dynamics of Racial Identity in Colombia*. Baltimore: The Johns Hopkins University Press, 1993.

WEISSMAN, Derek. "The Evolutionary Theories of Charles Darwin and Herbert Spencer". *Current Anthropology*, vol. XV, núm. 3, 1975: 211-237.

WORBOYS, Michael. "Germs, Malaria and the Invention of Mansonian Tropical Medicine: from Diseases in the Tropics to Tropical Diseases". En: *Warm Climates and Western Medicine: the Emergence of Tropical Medicine 1500-1900*. David Arnold (ed.). Amsterdam: Rodolpi, 1996: 181-208.

ZÁRATE BOTÍA, Carlos G. *Silvícolas, siringueros y agentes estatales: el surgimiento de una sociedad transfronteriza en la Amazonía de Brasil, Perú y Colombia 1880-1932*. Bogotá: Universidad Nacional de Colombia, 2008.

ZEA, Leopoldo. "Latinoamérica como conflicto". En: *El pensamiento positivista latinoamericano*. Caracas: Biblioteca Ayacucho, 1980: ix-lvii.

IMÁGENES

Imagen 1. Francisco José de Caldas. "Perfil de los Andes de Loja a Quito". Dibujo (1802). En: Mauricio Nieto Olarte, *La obra cartográfica de Francisco José de Caldas*. Bogotá: Universidad de los Andes, 2006: 65.

Imagen 2. Ramón Torres Méndez. "Champán en el río Magdalena".
Litografía a color (1878).

Imagen 3. Charles Burton. "Aeronautic view of the Palace of Industry for All Nations from Kensington Gardens" (1851).
En: John Hix, *The Glasshouse*. London: Phaidon, 1996: 187.

Imagen 4. Archivos, ciudad de Bruselas. "Serre Chapelle". Fotografía (1886).
En: Georg Kohlmaier y Barna von Sartory. *Houses of Glass: A Nineteenth-Century Building Type*. Cambridge: MIT Press, 1986: 441.

Imagen 5. Chevalier. "A mi madre". Grabado (1889).
En: Rafael Núñez, *Poesías*.

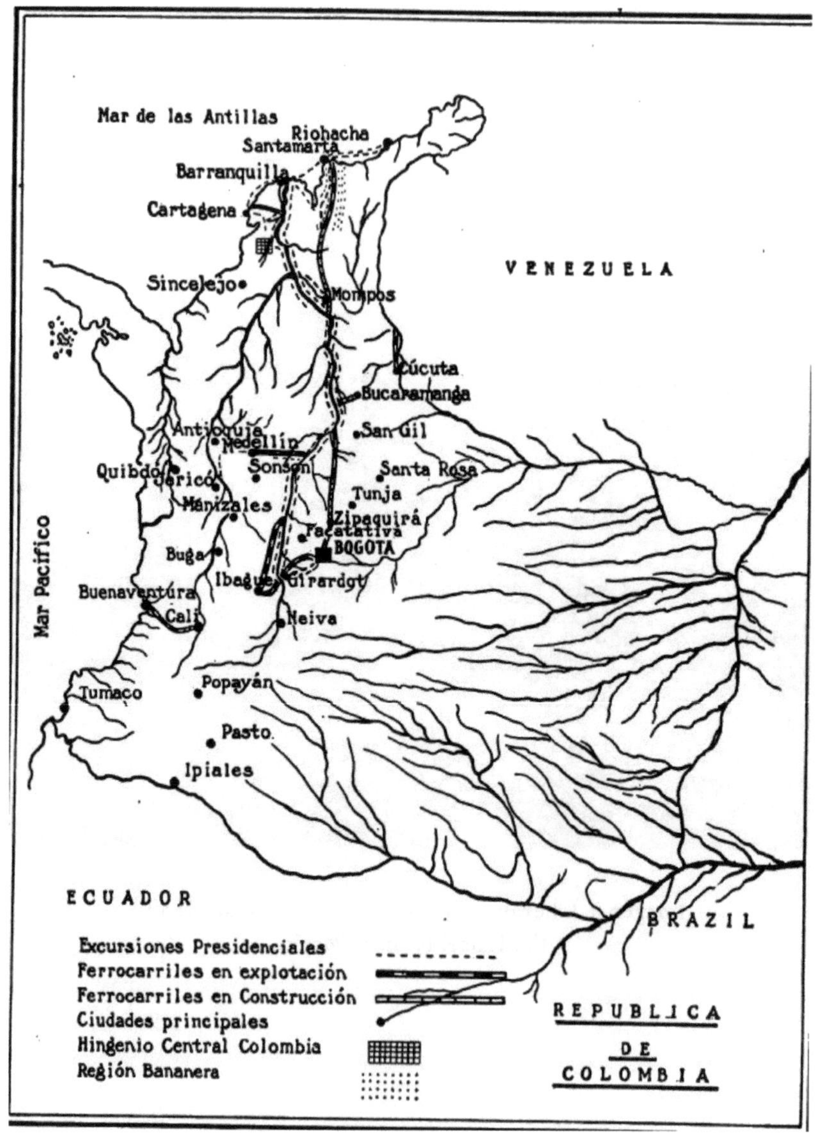

Imagen 6. Pedro Pedraza. "Mapa de la República de Colombia" (1909). En: Pedro Pedraza, *Excursiones presidenciales: apuntes de un diario de viaje*.

Imagen 7. "Mapa que muestra las exploraciones hechas por los hermanos Reyes en la América del Sur y línea del proyectado Ferrocarril Interconti-nental presentado por Rafael Reyes delegado de Colombia a la 2nda Confe-rencia Internacional Americana en México, diciembre de 1901" (1902). En: Rafael Reyes. *A través de la América del Sur: exploraciones de los Hermanos Reyes*. México/Barcelona: Ramón de S.N Araluce Editor, 1902.

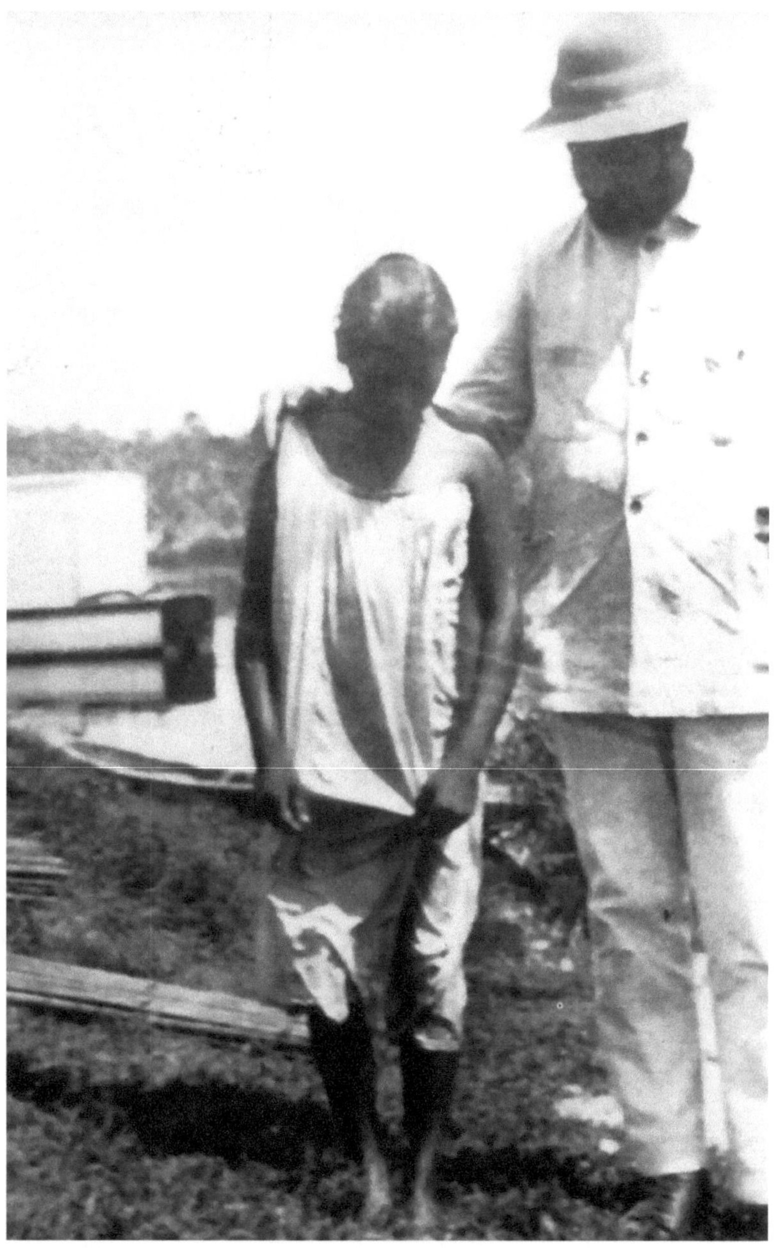

Imagen 8. Melitón Escobar Larrazábal. "José Eustasio Rivera en Yavita"
Fotografía (1923). En: Archivo Rivera Universidad de Caldas.

Imagen 9. Anónimo. "El cauchero Clemente Silva". Fotografía (s.f).
En: *La vorágine*. Bogotá: Cromos, 1924.

Imagen 10. "Ruta de Arturo Cova y sus compañeros" (1928).
En: *La vorágine*. Nueva York: Editorial Andes, 1928.

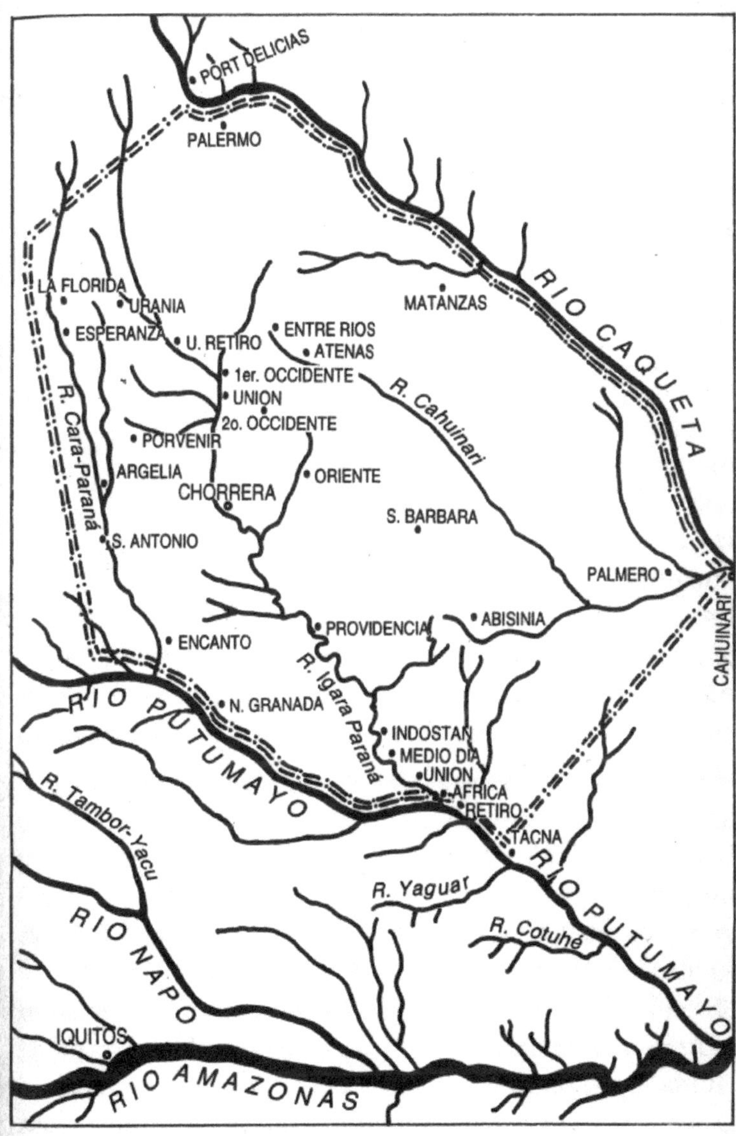

Imagen 11. Norman Thomson. "Régiones productoras de caucho" (1913). En: Norman Thomson. *El libro rojo del Putumayo*. Bogotá: Arboleda y Valencia, 1913.